Movimentos sociais no início do século XXI

Dados Internacionais de Catalogação na Publicação (CIP)
(Câmara Brasileira do Livro, SP, Brasil)

Movimentos sociais no início do século XXI: antigos e novos atores sociais / Maria da Glória Gohn (organizadora), 7. ed. – Petrópolis, RJ : Vozes, 2015.

3ª reimpressão, 2025.

ISBN 978-85-326-2832-9

1. Movimentos sociais – Século 21 I. Gohn, Maria da Glória.

12-03818 CDD-303.4840905

Índices para catálogo sistemático:
1. Movimentos sociais : Século XXI : Sociologia 303.4840905
2. Século 21 : Movimentos sociais : Sociologia 303.4840905

Maria da Glória Gohn
(org.)

Movimentos sociais no início do século XXI

Antigos e novos atores sociais

EDITORA
VOZES

Petrópolis

Rua Frei Luís, 100
25689-900 Petrópolis, RJ
www.vozes.com.br
Brasil

Editoração e org. literária: Augusto Ângelo Zanatta
Diagramação: AG.SR Desenv. Gráfico
Capa: André Gross

ISBN 978-85-326-2832-9

Este livro foi composto e impresso pela Editora Vozes Ltda.

Sumário

Sumário

Apresentação

Maria da Glória Gohn

O tema dos movimentos sociais constituiu-se numa das grandes novidades na sociologia brasileira nos anos de 1970-1980, tendo sido considerado, por alguns analistas, como fonte de renovação nas ciências sociais e da forma de fazer política. O destaque inicial foi a emergência dos movimentos sociais populares urbanos, reivindicatórios de bens e equipamentos coletivos de consumo e questões ao redor da moradia, usualmente articulados territorialmente ao nível do bairro ou de uma região. Eles também tiveram papel de destaque nas frentes de luta contra o regime militar. O tempo passou, surgiram novos campos temáticos de luta que geraram novas identidades aos próprios movimentos sociais, tais como na área do meio ambiente, direitos humanos, gênero, questões étnico-raciais, religiosas, movimentos culturais etc. Alguns movimentos transformaram-se em redes de atores sociais organizados, ou fundiram-se com ONGs, ou rearticularam-se com as novas formas de associativismo que surgiram nos anos de 1990; outros entraram em crise e desapareceram; outros, ainda, foram criados com novas agendas e pautas, como as recentes manifestações antiglobalização.

Cumpre registrar também que, a partir dos anos de 1990, alguns movimentos se articularam com as novas formas institucionalizadas de participação social presentes nos inúmeros conselhos, especialmente os Conselhos Gestores, os Conselhos de Representantes Municipais, os Conselhos do Orçamento Participativo etc.

De tudo isso fica uma constatação: os movimentos sociais têm fluxos e refluxos; na realidade, eles constituem um campo de ação social coletiva, parte do objeto de estudo da própria sociologia. Existe uma sociologia dos movimentos sociais que não pode ser separada ou ignorada enquanto objeto de investigação. O repertório de ações coletivas que os movimentos constroem demarcam interesses, identidades, subjetividades e projetos de grupos sociais específicos.

A Parte I deste livro é composta de três textos de minha autoria, produzidos entre 2001-2002, resultado de pesquisa que desenvolvo com o apoio do CNPq – Conselho Nacional de Desenvolvimento Científico e Tecnológico. A Parte II contém dois textos, um produzido sob minha orientação e um por uma professora da Universidade de Brasília, apresentado no Grupo de Trabalho "Movimentos Sociais", organizado e coordenado por mim no XI Congresso da Associação dos Sociólogos do Estado de São Paulo, ocorrido em São Paulo entre 1º a 4 de outubro de 2001.

Os textos de minha autoria são: *Movimentos sociais na atualidade: manifestações e categorias analíticas*, que objetiva situar o campo temático dos movimentos sociais na atualidade, assim como realizar um mapeamento das formas de movimentos sociais presentes na realidade brasileira no início deste novo milênio. *Movimentos sociais antiglobalização: de Seattle a Nova York 2002* retrata um tipo de movimento que representa a modernidade das ações coletivas de protestos à medida que atua globalmente, contesta as políticas neoliberais globalizantes, atua em rede utilizando largamente de recursos tecnológicos, e propõe um modelo alternativo à atual sociedade baseada exclusivamente no lucro e no mercado. O *I e II Fórum Social Mundial em*

Porto Alegre descreve e delineia análises sobre dois eventos recentes, que ainda estão sendo sistematizados devido ao volume de dados e informações que produziram.

A Parte II do livro focaliza uma unidade temática bem circunscrita, a dos *Movimentos Sociais no Campo.* Ela se compõe de dois textos, a saber: *Arqueologia dos movimentos sociais*, de Eurípedes da Cunha Dias, professora na Universidade de Brasília, trás uma contribuição relevante para o entendimento dos movimentos populares da atualidade porque resgata, no passado da história do Brasil, alguns movimentos sociais que lutavam simultaneamente em várias frentes, a saber: pela liberdade, pela luta cultural das etnias e raças, pela nação, e ao mesmo tempo pelo lugar, pela terra e pela vida. A Cabanagem do Pará é tomada como ilustração. *Subjetividade e gênero no MST: observações sobre documentos publicados entre 1979-2000,* de Denise Mesquita de Melo, é fruto de uma dissertação de Mestrado apresentada na Unicamp em 2001, sob minha orientação, com o apoio da Capes. Denise apresenta uma pesquisa inovadora: a questão de gênero em um assentamento do MST analisando a questão da mulher e suas relações com os homens, no cotidiano dos assentamentos, à luz de documentos publicados pelo próprio MST.

Parte I

Movimentos sociais na atualidade

1
Movimentos sociais na atualidade: manifestações e categorias analíticas

Maria da Glória Gohn

1 Considerações preliminares: o que são movimentos sociais

Para nós, desde logo é preciso demarcarmos nosso entendimento sobre o que são movimentos sociais: nós os vemos como ações sociais coletivas de caráter sociopolítico e cultural que viabilizam distintas formas da população se organizar e expressar suas demandas. Na ação concreta, essas formas adotam diferentes estratégias que variam da simples denúncia, passando pela pressão direta (mobilizações, marchas, concentrações, passeatas, distúrbios à ordem constituída, atos de desobediência civil, negociações etc.), até as pressões indiretas. Na atualidade, os principais movimentos sociais atuam por meio de redes sociais, locais, regionais, nacionais e internacionais, e utilizam-se muito dos novos meios de comunicação e informação, como a internet. Por isso, exercitam o que Habermas denominou como o agir comunicativo. A criação e o desenvolvimento de novos saberes são produtos dessa comunicabilidade.

Na realidade histórica, os movimentos sempre existiram e cremos que sempre existirão. Isto porque eles representam forças sociais organizadas que aglutinam as pessoas não como força-tarefa, de ordem numérica, mas como campo de atividades e de experimentação social, e essas atividades são fontes geradoras de criatividade e inovações socioculturais. A experiência que são portadores não advém de forças congeladas do passado – embora este tenha importância crucial ao criar uma memória que, quando resgatada, dá sentido às lutas do presente. A experiência se recria cotidianamente, na adversidade de situações que enfrentam. Concordamos com antigas análises de Touraine quando afirmou que os movimentos são o coração, o pulsar da sociedade. Eles expressam energias de resistência ao velho que os oprime, e fontes revitalizadas para a construção do novo. Energias sociais antes dispersas são canalizadas e potencializadas por meio de suas práticas em "fazeres propositivos". Porém, não podemos ignorar que existem tipos de movimentos sociais conservadores, muitos deles fundamentados em xenofobias nacionalistas, religiosas, raciais etc. Estes tipos não querem as mudanças sociais emancipatórias, mas impor as mudanças segundo seus interesses particularistas, pela força, utilizando a violência como estratégia principal em suas ações. A intolerância existe e ela tem estado presente em movimentos fanáticos/religiosos. Em movimentos nacionalistas, com suas ideologias não democráticas, geradoras de ódios raciais e atos de terrorismo e guerras, o terror é utilizado por seus seguidores fanáticos. São movimentos construídos a partir de práticas sectárias, destrutivas e de total negação à ordem social vigente. Os terroristas atuam segundo as regras e as ideologias das organizações secretas que os apoiam. Não são movimentos abertos à participação de qualquer cidadão porque existem códigos, crenças, valores e ideologias específicos entre eles. O que ocorreu em 11 de setembro de 2001 nos Estados Unidos é um exemplo.

Os movimentos sociais progressistas atuam segundo uma agenda emancipatória, realizam diagnósticos sobre a realidade social e constroem propostas. Atuando em redes, articulam ações coletivas que agem como resistência à exclusão e lutam pela inclusão social. Eles constituem e desenvolvem o chamado *empowerment* de atores da sociedade civil organizada à medida que criam sujeitos sociais para essa atuação em rede. As redes são estruturas da sociedade contemporânea globalizada e informatizada. Elas se referem a um tipo de relação social, atuam segundo objetivos estratégicos e produzem articulações com resultados relevantes para os movimentos sociais e para a sociedade civil em geral. A análise das redes requer metodologias específicas para captar a força sociocultural e política que condensam. Existem redes de diferentes tipos: de sociabilidade (encontradas no cotidiano a partir de relações por laços familiares, de amizade etc.); redes locais muito presentes no associativismo civil local, dadas pela territorialidade de um bairro, uma comunidade. As associações comunitárias inscrevem-se neste tipo; as redes virtuais, via on line, que costuram as relações do movimento antiglobalização, por exemplo; redes temáticas específicas, como as das mulheres ou das entidades que atuam sobre as questões de gênero; redes socioculturais, dadas por heranças ou características étnicas, religiosas, advindas da tradição ou de práticas sociais contemporâneas; redes geracionais, como de jovens e idosos; redes históricas, que cultuam e desenvolvem a memória de um líder, de um ator ou cantor famoso etc.; e as redes de governança, que procuram articular as experiências de inovações na gestão pública, como os fóruns das prefeituras que adotam o Orçamento Participativo; redes de entidades afins, como as redes de ONGs etc.

Tanto os movimentos sociais dos anos de 1980 como os atuais têm construído representações simbólicas afirmativas por meio de discursos e práticas. Eles criam identidades a grupos antes dispersos e desorganizados, como bem já acentuou Melucci (1994). Ao realizarem estas ações, projetam em seus participantes sentimentos de pertencimento social. Aqueles que eram excluídos de algo passam a sentir-se incluídos em algum tipo de ação de um grupo ativo.

No início deste novo milênio, os movimentos sociais estão retornando à cena e à mídia. Neles destacam-se quatro pontos:

1) As lutas de defesa das culturas locais, contra os efeitos devastadores da globalização. Eles estão ajudando na construção de um novo padrão civilizatório orientado para o ser humano e não para o mercado, como querem as políticas neoliberais de caráter excludente. Um outro papel importante a ser destacado nos movimentos atuais é o resgate que eles estão operando do caráter e sentido das coisas públicas – espaços, instituições, políticas etc.;

2) Ao reivindicarem ética na política e, ao mesmo tempo, exercerem vigilância sobre a atuação estatal/governamental, eles orientam a atenção da população para o que deveria ser dela e está sendo desviado, para o tratamento particular que supostamente estaria sendo dado a algo que é um bem público, como os impostos arrecadados da população estariam sendo mal gerenciados etc.;

3) Os movimentos têm coberto áreas do cotidiano de difícil penetração por outras entidades ou instituições do tipo partidos políticos, sindicatos ou igrejas. Assim, aspectos da subjetividade das pessoas, relativos a sexo, crenças, valores etc. têm encontrado vias de manifestação porque o grau de tolerância é alto na maioria dos movimentos sociais. Mas não podemos deixar de lado, ou ignorarmos, que intolerância também existe e ela tem estado presente em movimentos fanático-religiosos ou no ressurgimento de movimentos nacionalistas, citados acima, com suas ideologias não democráticas, geradoras de ódios e guerras;

4) Os movimentos construíram um entendimento sobre a questão da autonomia diferente do que existia nos anos de 1980. Atualmente, ter autonomia não é ser contra tudo e todos,

estar isolado ou de costas para o Estado, atuando à margem do instituído; ter autonomia é, fundamentalmente, ter projetos e pensar os interesses dos grupos envolvidos com autodeterminação; é ter planejamento estratégico em termos de metas e programas; é ter a crítica, mas também a proposta de resolução para o conflito que estão envolvidos; é ser flexível para incorporar os que ainda não participam, mas têm o desejo de participar, de mudar as coisas e os acontecimentos da forma como estão; é tentar sempre dar universalidade às demandas particulares, fazer política vencendo os desafios dos localismos; ter autonomia é priorizar a cidadania: construindo-a onde não existe, resgatando-a onde foi corrompida. Finalmente, ter autonomia é ter pessoal capacitado para representar os movimentos nas negociações, nos fóruns de debates, nas parcerias de políticas públicas (por isso é grande o número de militantes/assessores de movimentos, advindos de ONGs, que têm adentrado aos programas de Pós-graduação da academia. Resulta também que vários deles, após qualificados, tornam-se professores universitários e voltam-se inteiramente para a academia, ficando o movimento apenas como "objeto" de estudo e pesquisas. As ONGs permanecem como estágios laboratoriais de iniciação participativa, estando sempre compostas, majoritariamente, por iniciantes.

2 A dança dos conceitos e as novas formas de associativismo

O associativismo predominante nos anos de 1990 não deriva de processos de mobilização de massa, mas de processos de mobilizações pontuais. Qual a grande diferença? No primeiro caso, a mobilização se faz a partir de núcleos de militantes que se dedicam a uma causa seguindo as diretrizes de uma organização. No segundo, a mobilização se faz a partir do atendimento a um apelo feito por alguma entidade plural, fundamentada em objetivos humanitários. Pode ser uma organização internacional (Anistia, Greenpeace), nacional (Campanha contra a Fome) ou local. Mas em todos os casos é no local que se desenvolvem as formas de mobilização e sociabilidade. Este tipo de associativismo não demanda dos indivíduos obrigações e deveres permanentes para com uma organização. E a mobilização se efetua independentemente de laços anteriores de pertencimento, o que não ocorre com o associativismo de militância político-ideológica. Em suma, o novo associativismo é mais propositivo, operativo e menos reivindicativo – produz menos mobilizações ou grandes manifestações, é mais estratégico. O conceito básico que dá fundamento às ações desse novo associativismo é o de Participação Cidadã.

A Participação Cidadã é lastreada num conceito amplo de cidadania, que não se restringe ao direito ao voto, mas constrói o direito à vida do ser humano como um todo. Por detrás dele há um outro conceito, de cultura cidadã, fundado em valores éticos universais, impessoais. A Participação Cidadã funda-se também numa concepção democrática radical que objetiva fortalecer a sociedade civil no sentido de construir ou apontar caminhos para uma nova realidade social – sem desigualdades, exclusões de qualquer natureza. Busca-se a igualdade, mas reconhece-se a diversidade cultural. Há um novo projeto emancipatório e civilizatório por detrás dessa concepção que tem como horizonte a construção de uma sociedade democrática e sem injustiças sociais.

A Participação Cidadã envolve direitos e deveres (diferentemente da concepção neoliberal de cidadania, que exclui os direitos e só destaca os deveres, vendo o cidadão como um mero cliente de um mercado ou um usuário de um serviço prestado); os deveres, na perspectiva cidadã, articula-se à ideia de civilidade, a concepção replublicana de cidadão.

A sociedade civil organizada é vista como parceira permanente na Participação Cidadã. A chamada "comunidade" é tratada como um sujeito ativo, e não como coadjuvante de programas definidos de cima para baixo. A participação passa a ser concebida como uma intervenção social periódica e planejada, ao longo de todo circuito de formulação e implementação de urna política pública. Para que venha a ocorrer a Participação Cidadã, os sujeitos de uma localidade/comunidade precisam estar organizados/mobilizados de uma forma que ideários múltiplos fragmentados possam ser articulados.

Destaca-se ainda, nos anos de 1990, a construção de outros novos conceitos, como o de uma cidadania planetária, sustentabilidade democrática, participação cidadã etc. (cf. SOUSA SANTOS, 2000; SCHERER-WARREM, 1999; GOHN, 2001). Esses conceitos preconizam que se deve respeitar as diferenças culturais – os valores, hábitos e comportamentos, de grupos e indivíduos, pertencentes a uma sociedade globalizada pela economia e pelas múltiplas interações mediáticas dadas pela TV, internet e outros. Na realidade, os novos conceitos foram gerados no interior de outros movimentos sociais, tais como "Ética na Política".

3 Movimentos sociais no Brasil: manifestações na atualidade

No Brasil e em vários outros países da América Latina, no final da década de 1970 e parte dos anos de 1980, ficaram famosos os movimentos sociais populares articulados por grupos de oposição ao então regime militar, especialmente pelos movimentos de base cristãos, sob a inspiração da Teologia da Libertação. Ao final dos anos de 1980, e ao longo dos anos de 1990, o cenário sociopolítico se transformou radicalmente. Inicialmente teve-se um declínio das manifestações nas ruas que conferiam visibilidade aos movimentos populares nas cidades. Alguns analistas diagnosticaram que eles estavam em crise porque haviam perdido seu alvo e inimigo principal – o regime militar. Na realidade, as causas da desmobilização são várias. O fato inegável é que os movimentos sociais dos anos de 1970/1980 contribuíram decisivamente, via demandas e pressões organizadas, para a conquista de vários direitos sociais novos, que foram inscritos em leis na nova Constituição brasileira de 1988.

A partir de 1990 ocorreu o surgimento de outras formas de organização popular, mais institucionalizadas, como a constituição de Fóruns Nacionais de Luta pela Moradia, pela Reforma Urbana, Fórum Nacional de Participação Popular etc. Os fóruns estabeleceram a prática de encontros nacionais em larga escala gerando grandes diagnósticos dos problemas sociais, assim como definindo metas e objetivos estratégicos para solucioná-los. Emergiram várias iniciativas de parceria entre a sociedade civil organizada e o poder público, impulsionadas por políticas estatais, como a experiência do Orçamento Participativo, a política de Renda Mínima, bolsa-escola etc. Todos atuam em questões que dizem respeito à participação dos cidadãos na gestão dos negócios públicos. A criação de uma Central dos Movimentos Populares foi outro fato marcante nos anos de 1990 no plano organizativo. Ela estruturou vários movimentos populares em nível nacional, tais como a luta pela moradia, assim como buscou fazer uma articulação e criou colaborações entre diferentes tipos de movimentos sociais, populares e não populares.

Ética na Política foi um movimento ocorrido no início dos anos de 1990 e teve uma grande importância histórica porque contribuiu, decisivamente, para a deposição, via processo democrático, de um presidente da República por atos de corrupção – fato até então inédito no país; ele contribui também, na época, para um ressurgimento do movimento dos estudantes com novo perfil de atuação, os "cara-pintadas".

À medida que as políticas neoliberais avançaram foram surgindo outros movimentos sociais, como contra as reformas estatais, a Ação da Cidadania contra a Fome, movimentos de desempregados, ações de aposentados ou pensionistas do sistema previdenciário. As lutas de algumas categorias profissionais emergiram no contexto de crescimento da economia informal. Como exemplo, no setor de transportes apareceram os chamados transportes alternativos ("perueiros"); no sistema de transportes de cargas pesadas nas estradas, os "caminhoneiros". Algumas dessas ações coletivas surgiram como respostas à crise socioeconômica, atuando mais como grupos de pressão do que como movimentos sociais estruturados. Os atos e manifestações pela paz, contra a violência urbana, também são exemplos desta categoria. Se antes a paz era um contraponto à guerra, hoje ela é almejada como necessidade ao cidadão/cidadã comum, em seu cotidiano, principalmente nas ruas enquanto motoristas vítimas de assaltos relâmpagos, sequestros e mortes.

Grupos de mulheres foram organizados nos anos de 1990 em função de sua atuação na política, criando redes de conscientização de seus direitos e frentes de lutas contra as discriminações. O movimento dos homossexuais também ganhou impulso e as ruas, organizando passeatas e atos de protestos. Numa sociedade marcada pelo machismo, isso é também uma novidade histórica. O mesmo ocorreu com o movimento afro-brasileiro que deixou de ser quase que predominantemente movimento de manifestações culturais para ser também movimento de construção de identidade e luta contra a discriminação racial. Os jovens também geraram inúmeros movimentos culturais, especialmente na área da música, enfocando temas de protesto.

Deve-se destacar ainda três outros movimentos sociais importantes no Brasil nos anos de 1990: dos indígenas, dos funcionários públicos – especialmente das áreas da educação e da saúde – e dos ecologistas. Os primeiros cresceram em número e em organização nesta década; eles passaram a lutar pela demarcação de suas terras e pela venda de seus produtos a preços justos e em mercados competitivos. Os segundos organizaram-se em associações e sindicatos contra as reformas governamentais que progressivamente retiram direitos sociais, reestruturam as profissões, e arrocham os salários em nome da necessidade dos ajustes fiscais. Os terceiros, dos ecologistas, proliferaram após a conferência Eco 92, dando origem a inúmeras ONGs (Organizações Não Governamentais). Aliás, as ONGs passaram a ter muito mais importância nos anos de 1990 do que os próprios movimentos sociais. Tratam-se de ONGs diferentes das que atuavam nos anos de 1980 junto com os movimentos populares. Agora são ONGs inscritas no universo do Terceiro Setor, voltadas para a execução de políticas de parceria entre o poder público e a sociedade, atuando em áreas onde a prestação de serviços sociais é carente ou até mesmo ausente, como na educação e saúde, para clientelas como meninos e meninas que vivem nas ruas, mulheres com baixa renda, escolas de ensino fundamental etc.

No início deste milênio há ainda um movimento difuso, mas que está crescendo bastante, que é o movimento contra a violência urbana, especialmente nos grandes centros urbanos. Certamente que nós já tínhamos o movimento pelos Direitos Humanos. Ele teve um papel importante e fundamental desde a luta pela anistia, nos anos de 1970/1980. Mas, atualmente, pelas características, e pelo panorama da sociedade brasileira atual, pelos fatos e acontecimentos recentes na sua conjuntura, o movimento contra a violência nas cidades ganhou força. Ele está sendo organizado em bairros e representam um clamor da sociedade civil na área da segurança pública, na busca de proteção à vida do cidadão no cotidiano. Pesquisas de opinião pública estão demonstrando que a segurança está passando a ser o principal item de demanda da população, maior do que o medo do cidadão ficar desempregado, ou de contrair uma doença grave.

Os movimentos de Direitos Humanos criaram redes nacionais, estão interligados a redes internacionais, como a Anistia Internacional. Já os movimentos contra a violência, nos centros urbanos, são mais focalizados. Eles têm um caráter diferente, partem de grupos e ações localizadas, motivados por perdas de entes queridos; passam a criar redes, mobilizam as associações comunitárias dos bairros – muitas vezes também acuadas pelo medo à violência dos grupos armados organizados de uma região. O movimento contra a violência urbana tem organizado passeatas, manifestações de rua etc. O próprio movimento estudantil, que entra e sai da cena pública constantemente, tem tido um papel importante no movimento antiviolência, como em campanhas pelo desarmamento da população.

4 Movimentos populares no início do novo milênio

E os *movimentos populares* propriamente ditos, aqueles que nos anos de 1970/1980 foram tão importantes, estimulados pela Teologia da Libertação? O que houve com eles? Mudaram de perfil? Desapareceram? Nossa resposta é não.

Eles sempre foram heterogêneos em termos de temáticas e demandas. O que unifica o universo de suas demandas são as carências socioeconômicas. Eles criaram e desenvolveram, nos anos de 1990, redes com outros sujeitos sociais, assim como redes dentro do próprio movimento popular propriamente dito, destacando os movimentos que atuam na *questão da moradia.* Nas redes com outros sujeitos destacam-se as tecidas com o campo sindical, o campo institucional de outras entidades sociais, o campo político-partidário, o campo religioso, o campo das ONGs. Quer dizer, os movimentos populares criaram, ou ampliaram, ou fortaleceram, a construção de redes sociais.

Ocorreram, entretanto, alterações profundas no cotidiano da dinâmica interna dos movimentos populares. De um lado eles perderam visibilidade (porque, ao longo dos anos de 1990, os movimentos populares urbanos diminuíram as formas de protestos nas ruas e diminuíram sua visibilidade na mídia), e houve um deslocamento dessa visibilidade para as ONGs. As identidades coletivas dos movimentos populares deixaram alguns elementos de lado, tais como as frequentes contestações às políticas públicas, mas como eles incorporaram outros elementos, isso possibilitou-lhes sair do nível apenas reivindicatório para um nível mais operacional, propositivo. Embora os eixos nucleadores das demandas fossem os mesmos, eles incorporaram novas práticas, alguns de seus líderes ou assessores passaram a incorporar diferentes escalões da administração pública (nos locais em que a oposição ascendeu ao poder). Seus discursos se alteraram em função da mudança da conjuntura. As matrizes que estruturaram esses discursos e as práticas também se alteraram. Não se tratava mais de se ficar de costas para o Estado, mas de participar das políticas, das parcerias etc. Eles ajudaram a construir outros canais de participação, principalmente os fóruns; e contribuíram para a institucionalização de espaços públicos importantes, tais como os diferentes conselhos criados nas esferas municipais, estaduais e nacional.

A noção do novo sujeito histórico, povo, um dos eixos estruturantes do movimento popular, reformulou-se, assim como deu novos sentidos e significados às suas práticas. Resulta desse processo uma identidade diferente, construída a partir da relação com o outro, e não centrada exclusivamente no campo dos atores populares. Esse outro estava presente nos relacionamentos desenvolvidos com novas formas de associativismo emergente, interações compartilhadas com ONGs e a participação nas políticas públicas.

Isso tudo alterou o projeto político dos movimentos populares urbanos no sentido de um projeto político policlassista, um novo projeto político dos movimentos populares, que vai estar contemplando outras questões além de demandas específicas do campo das carências socioeconômicas, indo das questões do modelo de desenvolvimento do país às questões do meio ambiente e do desenvolvimento humano. Na maioria dos casos, não há uma ênfase exclusiva nas questões apenas locais, mas inclui-se outras dimensões. Em parte essas mudanças se explicam pelos efeitos do próprio modelo organizacional adotado: de se atuar em redes. O outro, o diferente, acaba alterando o movimento local. Com isso, outros temas entraram para a agenda dos movimentos populares urbanos, tais como o de uma cidadania planetária, antes circunscritos aos movimentos sociais organizados e assessorados por outras camadas sociais, como os ambientalistas, as mulheres, direitos humanos etc.

Dentre os movimentos populares urbanos, *a luta pela moradia* continuou a ter a centralidade como a luta popular mais organizada. Uma parte dela tornou-se bastante institucionalizada, atuando no plano jurídico, via suas assessorias, obtendo conquistas importantes, como o Estatuto da Cidade. Outra parte migrou com suas assessorias para as ONGs, participando de projetos institucionais, tais como as cooperativas de ajuda mútua e autogestão, assim como várias alas do movimento das favelas, que passaram a ter projetos de reurbanização, remoção ou transferência para projetos do poder público. Esses últimos casos geraram movimentos de associações de moradores locais. Uma terceira parte inovou suas práticas seguindo o modelo do movimento popular rural: realizando ocupações, não mais de áreas vazias, cada vez mais escassas e distantes dos grandes centros urbanos, mas ocupando prédios públicos e privados, ociosos ou abandonados, nas áreas centrais das grandes cidades. Inicialmente, eles criaram fatos políticos novos e, ao mesmo tempo, novos cortiços nas áreas centrais. Mas a pressão contínua fez com que, progressivamente, fossem elaboradas políticas públicas para regularizar essas ocupações, a exemplo do plano de recuperação da região central de

São Paulo, e os planos urbanísticos e de regularização da posse para os imóveis ocupados.

Uma quarta categoria da luta pela moradia foi protagonizada pelos "moradores de rua". Vivendo sob pontes, marquises, praças e logradouros públicos, esses "moradores" aumentaram significativamente nos anos de 1990 em termos de número e de locais de ocupação. Políticas públicas têm sido elaboradas para esses segmentos que vão de sua remoção para conjuntos populares a mudanças provisórias em albergues, hotéis e imóveis alugados, quando localizados em situação de risco. Inúmeras vezes estes moradores foram manchetes na mídia pelo lado da desgraça: incêndios ocorridos em suas precárias acomodações ao ar livre. A organização dos moradores de rua é algo difícil porque eles são "flutuantes" no espaço e não têm, usualmente, trabalho fixo. Muitos desses moradores foram no final dos anos de 1990 recrutados" pelo MST (Movimento dos Trabalhadores Rurais Sem Terra) para participarem de seus acampamentos e ocupações rurais – o MST é o mais famoso dentre os cerca de 20 movimentos sociais populares rurais no Brasil na atualidade. Aliás, os movimentos rurais tiveram, nos anos de 1990, mais visibilidade e importância política que os movimentos sociais populares urbanos.

O *movimento popular de saúde*, embora tenha se fragmentado, entrou na luta da questão de preços dos convênios, remédios, postos de saúde etc. Eles têm participado das Conferências Nacionais de Saúde e muitos deles envolveram-se na gestão dos conselhos de saúde como representantes dos usuários. É importante registrar que na área da saúde, em alguns locais, os conselhos populares criados nos anos de 1980 ainda sobrevivem, ao lado dos conselhos gestores oficiais.

O *movimento pelos transportes* se tornou bastante institucionalizado e outros atores entraram em cena como os perueiros (transportes alternativos), de caráter contraditório e com práticas nada democráticas.

O *movimento pelas creches*, importante nos anos de 1970, que havia se institucionalizado bastante nos anos de 1980, está sendo recriado em várias cidades, como em São Paulo, devido à falta de vagas como "Movimento dos Sem Creche".

Cumpre mencionar, no campo dos movimentos populares, o *movimento popular pela educação*. Embora ele nunca tivesse tido grande visibilidade como um ator independente, pois suas demandas foram, frequentemente, incorporadas pelos sindicatos dos professores e demais profissionais da educação ou por articulações mais amplas, como a luta pela educação no período da Constituição, levadas a efeito pelo Fórum Nacional de Luta pela Escola Pública. Mas além da parceria com esses atores, que continuaram muito atuantes nos anos de 1990 (o Fórum até a promulgação da nova Lei de Diretrizes e Bases – LDB, de 1996), as reformas neoliberais realizadas nas escolas públicas de ensino fundamental e médio alteraram de tal forma o cotidiano das escolas que deu as bases para a mobilização de movimento popular pela educação. Falta de vagas, filas para matrículas, resultados de exames nacionais, progressões contínuas, passagem de ano sem exames), deslocamento de alunos de uma mesma família para diferentes escolas, atrasos nos repasses de verbas para merendas escolares, denúncias de fraudes no uso dos novos fundos de apoio à educação, entre outras, foram pautas da agenda do movimento na área da educação. Registre-se ainda que a crise econômica e o desemprego levou centenas de famílias das camadas médias à procura de vagas nas escolas públicas. Além de aumentar a demanda, essas famílias estavam acostumadas a acompanhar mais o cotidiano das escolas, levando essas práticas para a escola pública, antes mais fechada à participação comunitária. Com isso, em muitos bairros, as escolas passaram a desempenhar o papel de centros comunitários, pois a falta de verbas e a busca de solução para novos problemas, como a segurança, a violência entre os jovens e o universo das drogas, levou-as à busca de parceiros no bairro ou na região, com outros organismos e associações organizadas do bairro.

A questão ambiental, até a Eco 92, estava muito localizada nos *movimentos ambientalistas*. Passou a ser uma preocupação dos movimentos populares de bairro. Isso foi um salto qualitativo muito grande, porque nas demandas e reivindicações dos anos de 1970/1980, a questão ambiental não era tão presente como é, hoje, nos movimentos populares propriamente ditos. Estou me referindo aos movimentos mais de bairros periféricos, com córregos a céu aberto, ausência ou coleta irregular do lixo, focos de infecções várias.

Nos anos de 1990 surgiram *novos movimentos populares* que não tinham tanta presença nos anos de 1980, como a própria questão dos *idosos*. Mas o principal deles foi o relativo à questão da violência e da criminalidade nas periferias. A expansão da *violência urbana* para os bairros nobres, para o conjunto da cidade, levou a população das áreas periféricas a desnaturalizar a questão no sentido de ver e demandá-la como um problema também para eles e não como algo inerente àqueles bairros, como o senso comum sempre os caracterizou. A dificuldade encontrada por esses movimentos tem sido a presença de grupos e gangues organizadas, controladores do próprio movimento de ir e vir nessas regiões.

Resta mencionar um *novo movimento de bairro*, diferente do movimento já tradicional em várias partes do Brasil, das associações de moradores ou sociedades amigos de bairros. Tratam-se de centros comunitários voltados para a organização de parcelas da população em cooperativas ou outras formas que se dedicam à produção e comercialização de inúmeros produtos de uso doméstico ou de alimentação, galpões de reciclagem de produtos, produção de alimentos sem agrotóxicos, fabriquetas de tijolos, apiários, granjas, produção caseira de queijos, doces, uma infinidade de atividades nucleadas em cooperativas ou associações nos próprios bairros populares. Por detrás dessas associações existem ONGs, de caráter mais abrangentes. Elas assessoram os grupos na montagem dos projetos para o pedido de financiamento, relatórios etc.

Uma observação preliminar, que deverá ser comprovada via dados de pesquisas empíricas, diz respeito ao impacto das novas ações sobre o arcabouço institucional estatal que preside as interações, negociações, nos conselhos, fóruns etc. *A priori*, parece-nos que o movimento social e/ou conjunto de atores sociais que estão participando dessas novas ações e interações, estão conseguindo pouco em termos de mudança do conjunto de instrumentos concretos que presidem e orientam as relações. Se esta hipótese for verdadeira, cumpre observar que nos anos de 1970/1980 os movimentos sociais tiveram força para impactar ou criar instrumentos jurídicos novos, de nível local ou constitucional. Temos, portanto, um parâmetro para compararmos o porquê dessa diferença de impacto. No passado, usualmente, as regras burocráticas e as prescrições jurídicas eram alteradas pelas ações coletivas dos movimentos, utilizando vias paralelas. Com o tempo, o paralelo se tornava o instituído pelo uso. De certa forma, isso está ocorrendo atualmente na medida em que se aposta na cultura de crença no alternativo como força social. Entretanto, o processo é estimulado pelo Estado: o campo de experimentação ocorre na esfera pública – recorte do público e o privado não estatal, onde o conflito é minimizado.

A cultura alternativa quando à margem do Estado é desvalorizada atualmente. E na relação com o Estado, ela tem dificuldade em se consolidar porque suas bases concretas ainda são frágeis. Como fortalecê-las? Já não basta o parâmetro da uniformidade das carências socioeconômicas, nem o da identidade política. O projeto social de cada movimento/grupo tem que contemplar a dimensão da cultura e da institucionalidade. Ao fazerem isso, eles demarcam o campo de como irão participar, negociar, confrontar ou defrontar com a estrutura estatal.

O que se observa a partir dos casos analisados é que o perfil dos movimentos sociais se alterou na virada do novo milênio porque a conjuntura política mudou; eles redefiniram-se em função dessas mudanças. Mas eles foram também coartífices dessa nova conjuntura, pelo que ela continha de positivo, em termos de conquista de novos direitos sociais, resultado das pressões e mobilizações que eles – movimentos – realizaram nos anos de 1980. Mas os movimentos foram também vítimas dessa conjuntura, que, por meio de políticas neoliberais, buscou desorganizar e enfraquecer os setores organizados. Por isso, ao longo dos anos de 1990 os movimentos sociais em geral, e os populares em especial, tiveram que abandonar algumas posturas e adotaram posições mais ativas/propositivas. Passaram a atuar em rede e em parceria com outros atores sociais, dentro dos marcos da institucionalidade existente e não mais à margem, de costas para o Estado, somente no interior da sociedade civil, como no período anterior, na fase ainda do regime militar. A nova fase gerou práticas novas, exigiu a qualificação dos militantes. ONGs e movimentos redefiniram seus laços e relações. No urbano, os movimentos com matizes político-partidários fortes se enfraqueceram e fortaleceram-se os movimentos com perfil de demandas mais universais, mais plurais em termos de composição social, como os ecologistas e pela paz. Na área rural, a luta social recrudesceu e os movimentos sociais com perfil de lutas de resistências e classistas cresceram e tiveram seu auge.

O exercício de novas práticas trouxe também um conhecimento mais aprofundado sobre a política estatal, sobre os governos e suas máquinas. Demandas pela ética na política e uma nova concepção de esfera pública foram os primeiros saltos dessa aprendizagem, seguidos de uma completa rejeição pelos rumos das atuais políticas neoliberais, geradoras de desemprego e exclusão social. As redes, as parcerias entre movimentos e as ONGs criaram um novo movimento social: contra a globalização predominante, geradora de miséria; eles clamam, articulados em redes internacionais, pela defesa da vida com dignidade. O perfil do militante dos movimentos sociais se alterou e as teorias estão a exigir de nós explicações mais consistentes.

Finalizando este capítulo, o panorama geral dos movimentos sociais no início deste milênio organiza-se ao redor de dez eixos temáticos das lutas e demandas dos movimentos sociais no Brasil, a saber:

1) lutas e conquistas por condições de habitabilidade na cidade, nucleados pela questão da moradia, expressa em três frentes de luta: a) articulação de redes sociopolíticas que militam ao redor do tema urbano (do habitat, a cidade propriamente dita) e participaram do processo de construção e obtenção de um "Estatuto da Cidade"; b) movimentos sociais populares dos sem-teto (moradores de ruas e participantes de ocupações de prédios abandonados); c) contra a violência urbana (no trânsito, ruas, escolas, ações contra as pessoas e seu patrimônio);

2) mobilização e organização popular em torno de estruturas institucionais de participação na estrutura político-administrativa da cidade (Orçamento Participativo e Conselhos Gestores);

3) mobilizações e movimentos de recuperação de estruturas ambientais, físico-espaciais (como praças, parques), assim como de equipamentos e serviços coletivos (área da saúde, educação, lazer, esportes e outros serviços públicos degradados nos últimos anos pelas políticas neoliberais);

4) mobilizações e movimentos contra o desemprego;

5) movimentos de solidariedade e apoio a programas com meninos e meninas nas ruas, adolescentes que usam drogas, portadores de HIV e de deficiências físicas;

6) mobilizações e movimentos dos sem-terra, na área rural e suas redes de articulações com as cidades via participação de desempregados e moradores de rua, nos acampamentos do MST (Movimento dos Trabalhadores Rurais Sem Terra);

7) movimentos étnico-raciais (índios e negros);

8) movimentos envolvendo questões de gênero (mulheres e homossexuais);

9) movimentos rurais pela terra, reforma agrária e acesso ao crédito para assentamentos rurais; e

10) movimentos contra as políticas neoliberais e os efeitos da globalização (contra Alca, Fórum Social Mundial etc.).

2 Movimentos sociais antiglobalização: de Seattle/1998 a Nova York/2002

Maria da Glória Gohn

Apresentação

O movimento social que tratamos neste tópico, antiglobalização, é completamente diferente de outros movimentos sociais que conhecemos até o século XX. É também completamente distinto das ações de grupos revolucionários, terroristas ou fundamentalistas que estão crescendo assustadoramente no início deste novo século. O movimento antiglobalização nega a forma como a ordem capitalista instituída vigente se reproduz e não a ordem em si. Ele é movido para a busca de soluções alternativas aos problemas sociais e à própria preservação da vida no planeta, e não para a sua destruição. Suas ações são motivadas pela solidariedade e não pelo ódio.

Selecionamos no movimento antiglobalização o período compreendido entre as manifestações de Seattle (1998) e Nova York (2002) porque ele corresponde a uma fase bem demarcada. O primeiro é tido como um marco referencial que projetou o movimento para o mundo via mídia, embora ele tenha nascido antes. O segundo surgiu após os acontecimentos de 11 de setembro nos Estados Unidos, que colaboraram para um repensar das atividades do movimento e iniciar uma nova etapa: propositivo e de luta pela paz no mundo.

1 O movimento antiglobalização: Quem são seus atores? Como atuam? O que demandam? Quem são seus adversários?

O movimento antiglobalização apresenta-se, na virada deste novo milênio, como uma das principais novidades na arena política e no cenário da sociedade civil, dado sua forma de articulação/atuação em redes com extensão global. Ele tem elaborado uma *nova gramática no repertório das demandas e dos conflitos sociais*, trazendo novamente as lutas sociais para o palco da cena pública, e a política para a dimensão pública, tanto na forma de operar, nas ruas, como no conteúdo do debate que trouxe à tona: o modo de vida capitalista ocidental moderno e seus efeitos destrutivos sobre a natureza (humana, animal e vegetal).

O movimento antiglobalização criou um *novo ator sociopolítico* de caráter mundial que pautou, na agenda dos grandes problemas internacionais, um dos maiores desafios do século XXI: como atuar face aos choques entre as diferentes culturas nacionais e a ampliação dos conflitos étnicos. Ele fez isso ao denunciar as contradições existentes entre a voracidade da globalização econômica no plano das nações e seus mercados, e os efeitos destrutivos da globalização no plano cultural, no nível local. Ao criar esse novo repertório, ele criou uma densa rede de resistência, expressa em atos de desobediência civil e propostas alternativas à forma atual da globalização, considerada como o fator principal da exclusão social existente. Ele pautou também a agenda de um outro tipo de globalização, baseada na solidariedade e respeito às culturas, voltada para um novo tipo de modelo civilizatório, com desenvolvimento econômico mas também com justiça e igualdade social.

Uma das características marcantes do movimento antiglobalização é a heterogeneidade de sua *composição social*[1]: ele é composto por uma rede de movimentos e organizações sociais de espectro variado, destacando-se: defesa dos direitos humanos, estudantes, anarquistas, organizações não governamentais (ONGs), movimentos sociais rurais, centrais sindicais, alas de partidos políticos e organizações de esquerda, redes de interlocução de pequenos grupos etc. Cada um desses grupos tem origens, ideologias, instituições de apoio e trajetórias históricas diferenciadas.

Quais são os *eixos dos protestos?* A maioria das organizações que o compõem não é precisamente contra a globalização em si; várias facções do movimento reconhecem que a globalização é um dado momento do processo histórico contemporâneo. O que essas facções contestam é a forma como a globalização se processa. O que une as várias entidades/organizações e suas facções num só movimento é o fato de todos serem contra a parcela do *status quo* vigente que legitima uma ordem socioe-

---

1. Dentre as entidades, destacam-se: 1) Organizações religiosas: Oxfam, *Christian Aid, Pax Christi, World Development Movement,* Ação Mundial dos Povos contra a Mundialização (AMP), Jubileu Plus; 2) Organizações ambientalistas: *World Wildlife Fund, Legambiente, Greenpeace,* Amigos da Terra, *Farm Aid;* 3) Movimentos anarquistas: *Black Bloc, Ya Basta, Ruckus Society, Tute Bianche,* Movimento Anarcopunk (Brasil), Grupo de Resistência Global; 4) Movimentos pelos direitos humanos: Anistia Internacional; 5) ONGs: *Alternatives Action, The Consumer Project of Technology, Turney Point Project, Global Exchange, Open Democracy,* Inpeg, Centro de Mídia Independente, Cruz Vermelha, Centro de Ação Internacional, Mobilização para a Paz Global, Médico sem Fronteiras, Convergência Anticapitalista; 6) Movimentos rurais: Via Campesina, MST (Brasil); 7) Sindicatos: Federação Internacional dos Trabalhadores Metalúrgicos da América Latina (Fitim), AFL/CIO (entidade de sindicatos norte-americanos que divulgou manifesto em Seattle em 1999), Confederação Internacional de Sindicatos Trabalhistas Livres, Attac (Ação pela Tributação das Transações Financeiras em Apoio aos Cidadãos), CUT e Força Sindical (Brasil); 8) Organizações de pequenos empresários: *Young President's Organization;* 9) Movimentos estudantis: *Studentes for Global Justice* etc.

conômica e moral de injustiças, criando grandes distâncias entre ricos e pobres, incluídos e excluídos. Recusa-se às imposições de um mercado global, uno, voraz. Contestam-se também os valores que impulsionam a sociedade capitalista, alicerçados no lucro e no consumo de mercadorias supérfluas.

Entre 1998-2001 a bandeira central do movimento expressava-se em demandas relativas à questão das relações comerciais entre os países. Formularam-se propostas sobre a dívida externa dos países pobres (pedindo seu perdão) e a democratização dos processos de decisão das agências financeiras multilaterais; propôs-se o imposto Tobin, a liberalização das regras do comércio internacional, a inclusão dos direitos humanos (especialmente em relação à manipulação genética e à destruição do meio ambiente, enfatizando-se as florestas) nas negociações no âmbito da OMC (Organização Mundial do Comércio).

A *mídia* de um modo geral é um fator de grande relevância nas ações do movimento antiglobalização. É ela que lhe dá visibilidade mundial e o legitima por acompanhar todas as suas agendas. A mídia criou um nome para os manifestantes: "ativistas antiglobalização". Entretanto, o destaque não tem sido os debates ou as propostas do movimento nos encontros paralelos aos encontros oficiais, mas, sim, as ações espetaculares dos manifestantes nas ruas, o que aparece de exótico. Nesses atos, a mídia elegeu uma das partes componentes do movimento como ator principal: os *punks*. Divulgando seu visual extravagante e as ações espetaculares e ruidosas de suas diferentes tribos, acabou-se encobrindo outros grupos participantes do movimento antiglobalização, como os sindicatos, as ONGs e outros grupos de jovens, e conferiu aos *punks*, em suas diferentes correntes e matizes de ação sociopolítica e cultural, o papel central nos protestos.

Alguns grupos e estilos de música de bandas de jovens têm incorporado as bandeiras de luta do movimento antiglobalização, ampliando-o; muitos se incorporam fisicamente às ações dos eventos, ou criam músicas e depoimentos de apoio ao movimento, conferindo-lhe uma faceta de rebelião cultural muito semelhante à que ocorreu em maio de 1968 na França, e depois se propagou pelo mundo.

Os *recursos tecnológicos* são as grandes armas estratégicas utilizadas na organização e mobilização do movimento. A internet tem sido o principal instrumento de comunicação na elaboração de suas agendas. O site *protest.net*, editado em Bruxelas, é um dos meios de articulação virtual da cruzada do movimento. Mas existem outros como: *Reclaim the street.net, the public eye on Davos, indymedia.org* etc.

Até setembro de 2001 os protestos e as manifestações ocorreram por ocasião das grandes reuniões de cúpula de dirigentes governamentais, como o G-8, encontros de dirigentes do Bird, Banco Mundial e FMI (Fundo Monetário Internacional), além das conferências de grupos e de proprietários das grandes corporações. As manifestações têm levado as autoridades locais a recriarem o estilo urbano medieval: a cidade sitiada 9 "linha Vermelha", segundo os estrategistas de segurança das autoridades, ou "muro da vergonha", segundo os manifestantes. Entretanto, a atuação dos manifestantes não se resume ao espaço público das ruas. Espaços fechados, públicos e privados, são também acionados para duas atividades importantes: alojar o grande número de participantes e organizar/gerir a agenda dos trabalhos. Em geral, a equipe organizadora se desloca para os locais do encontro dois meses antes para prepará-lo. Paralelamente às manifestações nas ruas, ocorrem mesas, debates e seminários, em prédios de escolas, estádios, cinemas, galpões, casarões antigos etc. Essas atividades compõem uma agenda alternativa onde se busca ir além da crítica e são debatidas ações propositivas realizadas em várias partes do mundo.

Um ponto que chama atenção, muito destacado pela mídia, são as *cifras envolvidas nos eventos* em termos de: número de participantes nas manifestações, recursos financeiros envolvidos na organização, e tipos de conflitos. Tanto as reuniões da agenda oficial como as manifestações e os eventos da agenda alternativa envolvem uma longa preparação e vultuosos recursos financeiros.

No início, o *alvo predileto* das ações dos protestos foram as lanchonetes da rede McDonald's. Com o tempo, bancos, embaixadas, cadeias de lojas de roupas e calçados de grifes internacionais, como a GAP e Nike, e agências de turismo entraram no roteiro das concentrações e passeatas, ou seja, os ícones do capitalismo, ou de um estilo de vida, viraram alvo da ira do movimento antiglobalização.

2 Breve cronologia dos eventos e das manifestações: De Seattle a Gênova

A gênesis de articulação do movimento antiglobalização localiza-se em 1996, em Chiapas, durante o *Primeiro Encontro Internacional pela Humanidade e contra o Neoliberalismo,* organizado pelos zapatistas. Em 1997, a *Global Trade Watch* empreendeu uma campanha nos Estados Unidos contra a OCDC (Organização para Comércio e Desenvolvimento Econômico), e na Europa realizou-se a *Marcha Europeia contra o Desemprego*, com o apoio de sindicatos e organizações de direitos humanos. Em maio de 1998 ocorreram as primeiras mobilizações antiglobalização na Europa, em Genebra, convocadas pela AMP (Ação Mundial dos Povos), durante a II Conferência Ministerial da Organização Mundial do Comércio OMC, contra o Acordo Multilateral de Investimentos (AMI).

Seattle, nos Estados Unidos, foi palco, entre os dias 30 de novembro e 4 de dezembro de 1999, do início de grandes manifestações de protesto do movimento, durante a III Conferência Ministerial da OMC. Cem mil manifestantes se reuniram naquela cidade americana, até então conhecida por suas grandes bandas de *rock* e outros estilos musicais de jovens e sede de indústrias de alta tecnologia. Suas reivindicações ainda eram difusas, questionavam a globalização econômica e demarcaram um novo ciclo de protestos e mobilizações, trazendo de volta, para a cena política, os movimentos sociais. Seguiram-se protestos em Davos/Suíça, local da tradicional reunião anual do Fórum Mundial Econômico, em janeiro de 2000. Washington foi a sede do protesto seguinte, reunindo 10 mil manifestantes, na reunião do FMI e do Bird, em abril de 2000. Assim como em Seattle, apesar do forte aparato de segurança, os protestos geraram prisões, feridos e imóveis danificados. Em Colônia/Alemanha, em junho de 2000, ocorreram mobilizações e protestos de cinco mil manifestantes contra o Grupo G-8 – os sete líderes dos países mais ricos e a Rússia. A questão do perdão da dívida externa esteve na agenda.

Em 2000 ocorreram ainda protestos antiglobalização em várias cidades importantes do mundo: no 1º de maio, em Bancoq, durante a reunião da Unctad, no Japão, e em Melborne/Austrália, durante o Fórum Econômico (300 ONGs se reuniram para o contestar). Em setembro desse mesmo ano, em Praga, na República Checa, no Encontro do FMI e Bird, os protestos ganharam uma sigla e uma ONG para planejá-los: Inpeg (Iniciativas contra a Globalização Econômica). As manifestações em Praga reuniram jovens de 54 países e tiveram um saldo de 150 feridos, 900 presos e danos materiais avaliados em U$ 250 mil. Em dezembro de 2000 o protesto se deslocou para Nice, na França, na Conferência de Cúpula da União Europeia.

Ainda em 2000, o movimento teve uma primeira vitória: anunciou-se um esquema para o perdão da dívida de 23 países paupérrimos, denominados como HIPCS (Países Pobres Altamente Endividados).

O ano de 2001 demarca um novo ciclo no movimento antiglobalização. O movimento ganhou força política. No mês de janeiro ocorreu o Fórum Social Mundial (FSM), em Porto Alegre. Embora se trate de um evento de natureza diferente dos protestos do movimento antiglobalização, ele deve ser visto como parte desse movimento, num sentido mais amplo, pois também tem como uma demanda central "um outro mundo" possível desde que seja repensado em outras bases, com políticas e práticas diferentes das neoliberais. Dada a importância deste evento, assim como a sua sequência em 2002, os analisaremos separadamente.

Na sequência dos protestos do movimento antiglobalização, em abril de 2001 ocorreram mobilizações em Buenos Aires/Argentina, durante a reunião de dirigentes latino-americanos para a formação da Alca (Área de Livre Comércio das Américas); em Quebec/Canadá, a Reunião de 34 chefes de Estado da Cúpula das Américas foi marcada também por conflitos nas ruas, com repressão policial e 400 detidos. O I° de maio de 2001 registrou violentos protestos em várias partes do mundo contra a globalização.

Em Gotemburgo, Suécia, em junho de 2001, durante reunião para se discutir a ampliação da União Europeia, os conflitos foram violentos e geraram perdas no comércio avaliadas em U$ 4 milhões. Ainda em junho de 2001, uma reunião do Bird, que deveria ter ocorrido em Barcelona, foi cancelada por falta de segurança. Houve apenas uma teleconferência entre os representantes daquela instituição financeira.

Em julho de 2001, os protestos se iniciaram no primeiro dia do mês, em Salzburgo, na Áustria, durante o Fórum Econômico Europeu. Gênova, na Itália, entre 20 e 23 de julho, foi palco dos conflitos mais violentos desde 1998, durante a reunião de cúpula do G-8, realizada no Palácio Ducal. Na véspera de seu início, três cartas-bombas foram enviadas para Gênova e uma delas explodiu nas mãos de um policial. As autoridades locais isolaram a área do encontro do restante da cidade, murando o centro com placas de metal, criando um marco denominado como "linha vermelha". Os líderes mundiais foram hospedados num navio blindado equipado com antimísseis batizado de "Visão Europeia". O custo da Conferência de Gênova, para o governo italiano, foi orçado em 110 milhões de dólares; mobilizou-se 15 mil policiais contra os 800 grupos antiglobalização presentes. Cerca de 100 mil pessoas participaram, vindas de diferentes partes do mundo.

Em Gênova a violência se sobrepôs aos protestos pacíficos e às manifestações de desobediência civil. Os *punks* acabaram roubando a cena novamente, pelo lado pictórico e pelo lado trágico – um de seus manifestantes morreu baleado, depois ele foi atropelado e massacrado pelo jipe onde estava o policial que o alvejou. As imagens de sua morte foram apresentadas pelas televisões do mundo todo causando comoção, protestos e indignação. A escola utilizada para realizar a reunião paralela, alternativa à do G-8, no último dia do encontro foi invadida, ocorrendo confrontos e prisões de participantes do movimento. Milhares de pessoas marcharam em várias partes do mundo, inclusive em São Paulo, Brasil, para protestar contra a violência policial em Gênova.

3 Depois de Gênova e os efeitos de 11 de setembro

Os acontecimentos de 11 de setembro nos Estados Unidos alteraram completamente a agenda do movimento antiglobalização. Os atos terroristas nos Estados Unidos passaram a ser um problema para o movimento, pois qualquer contestação à globalização poderá ser confundida como atos que envolvem perigo à segurança dos cidadãos. A III Conferência Mundial das Nações Unidas contra o Racismo, ocorrida em Durban, na África, parte da agenda das manifestações contra a globalização neoliberal, acabou ficando num segundo plano. A reunião do FMI e do Bird que deveria ter acontecido em Washington, entre 29 e 30/09/01, foi cancelada; remarcou-se, posteriormente, um encontro em Otawa, Canadá, para 17 e 18 de novembro de 2001. O movimento reviu sua estratégia, cancelou inicialmente os protestos de setembro de 2001, depois voltou atrás e transformou o que deveria ser um ato de protesto, em Washington, numa manifestação pela paz em vários locais do mundo, inclusive em Washington, pois pessoas e a infraestrutura necessária já estavam mobilizadas. Em novembro de 2001, durante a Conferência da OMC em Doha, capital do Qatar, o movimento realizou algumas manifestações tímidas em alguns países, como nas Filipinas. Além do cenário adverso, a localização de Doha e o rígido sistema de credenciamento (apenas 645 ONGs foram credenciadas) dificultaram as ações do movimento; protesto mais expressivo no local da reunião foi a presença do navio símbolo do Greenpeace "Rainbow Warrior", no Porto de Doha.

Depois de Gênova, o dilema dos líderes das instituições econômicas era: onde realizar as reuniões. Cercas gigantescas isolando-os foi a solução arquitetada inicialmente. Os fóruns tendiam a ser ou cada vez mais fechados, ou alterando suas formas de articulação política, atuando, por exemplo, apenas via on line; ou incluindo, de alguma forma, como interlocutores, representantes dos que protestam, para debaterem soluções para os problemas mundiais. Uma sinalização neste sentido foi dada em 26/09/01 por meio de uma carta aberta publicada simultaneamente em jornais de 50 países, dirigida aos "antimundialistas", escrita por Guy Verhosfstadt, premie da Bélgica e presidente em exercício da União Europeia (UE). Fazendo críticas ao movimento, apontando várias contradições em seu interior, o representante da UE preconizou: "Uma abordagem global e ética, simultaneamente do ambiente; das relações profissionais e da política monetária" (*Folha de S. Paulo*, 26/09/01). A carta objetivou também repensar os encontros do G-8 e sua própria estrutura propondo sua substituição por um polo de associações de cooperação regionais, continentais, que atuaria como um fórum abrangendo a União Europeia, a União Africana, Mercosul, Asean, Acordo Norte-Americano de Comércio Livre (Alca) etc.

Ainda em novembro de 2001 realizou-se em Otawa, Canadá, a reunião do G-20 com a presença do FMI e do Bird. Ocorreram protestos do movimento, a maioria pacíficos. O número de prisões e ocorrências foi baixo (941) e a própria mídia deu atenção quase que exclusivamente à agenda da reunião oficial. A agenda dos protestos antiglobalização de 2001 encerrou-se em Bruxelas, Bélgica, durante a reunião dos países da União Europeia, ocorrida entre os dias 14-15 de dezembro. Cerca de 15 mil manifestantes protestaram.

Na realidade, a desarticulação inicial do movimento provocada pelo clima pós-atentados possibilitou a revisão das reuniões de cúpulas mundiais. A tradicional reunião em Davos do Fórum Econômico Mundial foi trocada, provisoriamente, após 32 anos na Suíça, para Nova York, no ano de 2002. O motivo alegado foi o da solidariedade com Nova York após o atentado. Mas segundo Sérgio D'Avila, "o evento cresceu em tamanho e, nos últimos anos, protestos. Com isso, o gasto com segurança e policiamento aumentou de US$ 170 mil (em 98), para US$ 6,5 milhões (em 2001). Neste ano, sairia algo em torno de US$ 7,2 milhões. Nenhuma das partes queria pagar a conta sozinha '[...] hospedar o WEF (FEM) traz mais vantagens que problemas para uma cidade. [...] Entre gastos com hospedagem, transportes e compras, os participantes do Fórum, suas famílias e seguranças movimentarão US$ 100 milhões em Nova York', disse Cristine Nicholas, presidente da NYC Company para D'Avila (*Folha de S. Paulo*, 10/02/02, p. A7). Com tudo isso, apesar de já estar definido que em 2003 o FEM será em Davos, a continuidade naquela cidade não está garantida porque há uma grande disputa para sediar os próximos encontros. O Fórum Econômico de Nova York também discutiu, desta vez, temas sociais e o crescimento da pobreza e a miséria no mundo, além de condenar a globalização "corporativa".

A partir de 2002 a proposta de retomada do movimento antiglobalização é atuar em outro estilo: propositivo e com bandeiras pela paz mundial. As manifestações ocorridas em Nova York, em janeiro de 2002, durante a realização do Fórum Econômico Mundial seguiu este modelo. Isso não impediu que fizessem manifestações nas ruas, sendo que a maior delas reuniu cinco mil manifestantes que percorreram 10 quarteirões ao redor da área bloqueada onde ocorria o FEM. Apareceram os *slogans* tradicionais junto com alguns novos como "Protestando contra a falta de manifestantes", em meio ao desfile de caricaturas de personagens políticos. Seguidos e perseguidos por forte aparato de segurança (seis mil policiais), 36 pessoas foram presas. A atuação policial foi bastante ostensiva durante todos os dias do fórum. Prendeu-se, inclusive, ativistas que tentaram colocar adesivos numa loja da GAP (alvo preferencial dos manifestantes, que, desta vez, carregavam cartazes com os dizeres: "GAP usa seus trabalhadores"). Um grupo de mulheres que queriam colocar uma faixa num prédio próximo ao encontro com os dizeres: "Bush e as grandes corporações permitem que pessoas com Aids morram", também foi preso. Registre-se também que, apesar do FEM não ter ocorrido em Davos, em Zurique/Suíça, 600 manifestantes também realizaram uma marcha. Outros destaques do FEM/NY foram os comentários do escritor brasileiro Paulo Coelho, assíduo frequentador de Davos, que elogiou os manifestantes antiglobalização e criticou o excesso de policiamento, assim como a atitude do vocalista do U2, Bono, que criticou as grandes corporações e voltou a bater na tecla da qual se tornou ativista nos últimos anos: o perdão da dívida dos países mais pobres.

Outro tipo de protesto, silencioso, ocorreu em frente ao Waldorf Astoria, durante o FEM/NY 2002, realizado por uma centena de partidários da seita Falung Gong, proibida na China. É interessante que, segundo a imprensa, eles foram o primeiro grupo autorizado pela polícia a se manifestar.

No final do FEM, o secretário-geral da ONU, Kofi Annan, buscou, por meio de uma carta e de um pronunciamento, "estabelecer uma ponte entre o Fórum Social Mundial, em Porto Alegre, e o Fórum Econômico Mundial, em Nova York. [...] O documento do secretário reconhece os efeitos nocivos da globalização neoliberal. [...] O tom do texto é conciliador e pede ao Fórum Social uma ação participativa e não violenta" (*Folha de S. Paulo*, 05/02/02, A7). Alejandro Toledo, presidente do Peru, sugeriu no FEM/NY que se construísse uma ponte entre Davos e Porto Alegre. Alain Touraine, cerca de um mês após o término dos dois fóruns, escreveu um texto comparando-os. Diz ele: "A previsão era que os dois fóruns [...] fossem o contrário um do outro, defendendo propostas absolutamente opostas. [...] Mas o resultado desse confronto contrariou todas as expectativas. [...] O Fórum de Nova York surpreendeu grande parte dos participantes. O tema dominante em Nova York foi a vulnerabilidade, a fragilidade da ordem da qual os Estados Unidos são o poder central. [...] essa consciência levou os participantes a reconhecerem rapidamente a necessidade de que a ordem mundial seja repensada e transformada. [...] confrontadas com as evidências, admitem que o aumento da miséria, a destruição das culturas e o enfraquecimento dos governos estão apenas agravando um caos que pode resultar em catástrofe" (A. Touraine, "O eixo da inquietude", Caderno Mais, n. 526, p. 3, *Folha de S. Paulo*, 10/03/02).

Alguns analistas e militantes do movimento antiglobalização, como Michael Albert, afirmam que, daqui para frente, "é necessário formular objetivos a longo prazo, sem medo de unificar programas e diversificar a atuação, para atrair militantes". O autor destaca falta de objetivos em questões econômicas, políticas e em outras esferas da vida; o fato dos movimentos não terem uma visão "positiva" fora de seus quadros e adeptos; a necessidade de atrair aqueles que estão fora do movimento para serem adeptos de suas bandeiras. Segundo Albert, "as elites não respondem nem à razão nem à ética. Respondem aos movimentos que fazem com que seus interesses se vejam prejudicados se não cederem". Com isso, conclui o autor: "As manifestações não deveriam constituir o eixo ao redor do qual gira o nosso trabalho. As manifestações são o componente mais visível do que fazemos, é certo. Mas o que ocorre entre esses eventos é o que deveria converter-se no eixo" (ALBERT, Michel, "Qual mundo é possível". *Cadernos Diplo – Le Monde Diplomatique*, n. 3, 2002, p. 18-21).

No mesmo caderno, Naomi Klein aponta outros desafios ao movimento, tais como: vincular a iniquidade econômica ao tema da segurança, priorizar alternativas socioeconômicas que atendam tanto às raízes das injustiças quanto a seus sintomas. E Klein conclui: "Talvez a guerra de imagens esteja chegando ao fim. Durante anos, nesse movimento, nos alimentamos dos símbolos de nossos adversários – suas marcas, os arranha-céus de suas grandes corporações, suas reuniões de cúpula para fotos. Nós os usamos como denúncias em manifestações como objetivos prioritários, como ferramentas de educação popular. Mas esses símbolos nunca foram os alvos reais; eram as alavancas; as manilhas. Foram o que nos permitiu, como disse recentemente a escritora inglesa Katharine Ainger, 'abrir uma fenda na história'. Os símbolos foram apenas a porta de entrada. Agora é hora de passar por elas" (KLEIN, Naomi. In: *Cadernos Diplo*, op. cit, p. 22-25). Entretanto, os protestos ocorridos na reunião da União Europeia, em Barcelona, Espanha, e na Conferência da ONU, em Monterrey, além dos conflitos ocorridos em Fortaleza durante a reunião do BID, todos em março de 2002, levam-nos a supor que as novas práticas ainda estão no plano das ideias[2].

4 Significados do movimento antiglobalização

Os movimentos sociais, com seus fluxos e refluxos, são um campo de força sociopolítica, e suas ações impulsionam mudanças sociais diversas. O repertório de lutas que eles constroem demarcam interesses, identidades, subjetividades e projetos de grupos sociais. Um dos pontos principais do movimento antiglobalização é a crítica que ele faz à "cultura do lucro". Afirma-se que ela deve ser substituída pela cultura do ser humano pleno, com direito à vida; uma sociedade com ética e respeito aos direitos humanos fundamentais. O que o movimento antiglobalização está demonstrando é que as lutas sociais voltaram à cena internacional como fonte de pressão por mudanças que levem às transformações do modelo civilizatório em curso. Ele

---

2. Segundo a agenda do movimento, "Las Movilizaciones Mundiales se concentran al rededor de: Año 2002: 15-16 de marzo, Barcelona, Cumbre de los Jefes de Estado de Europa; 18-22 de marzo, Monterrey, Conferencia de las ONU sobre el Financiamiento al Desarrollo; 7 de octubre, Día de los y las Sin Techo; 17-18 de mayo, Madrid, Cumbre de Jefes de Estado de América Latina, El Caribe y Europa; en mayo, cumbre anual de la 'Asia Development Bank', Shanghai, China; 31 de mayo, día internacional contra el militarismo y a favor de la paz; final de mayo, 'prepcom Rio + 10', Jakarta, Indonésia; 8-13 de junio, Roma, Itália, Cumbre Mundial sobre Alimentación de la FAO; 21 y 22 de junio, Sevilla, España, Cumbre de los Jefes de Estado de la EU; Julio, Toronto y Callgary, Rocky Mountains, Canadá: G-8 Cumbre; 22 de Julio, campaña en Estados Unidos contra la Coca-Cola; Septiembre, Johannesburgo (Sudáfrica): Rio + 10; Septiembre, cumbre Asia/Europa, Copenhague, Dinamarca; Octubre, Ecuador, Foro Social Continental 'Una nueva Integración es Posible'; Noviembre, La Habana (Cuba), segunda reunión Hemisférica contra el Alca; Noviembre-Diciembre, México, Conferencia Ministerial de la OMC; Diciembre, Copenhaguen, cumbre de los Jefes de Estado de Europa; Año 2003: abril, Buenos Aires, cumbre presidencial sobre el Alca; Junio, Thessaloniki (Grecia), Cumbre de la EU; Junio, G-7 en Francia".

foi gerado pelo próprio sistema a que se contrapõe: a globalização capitalista. A forma como ela é conduzida tem gerado desemprego estrutural, desigualdade, crescimento da pobreza e da miséria; exclusão social, em suma. Diferentemente dos anos de 1980, quando as lutas dos grupos e movimentos eram essencialmente pelo reconhecimento da identidade sociocultural de seus participantes (ser negro, mulher, índio, ambientalista, homossexual etc.), a gramática atual da antiglobalização une as causas daquelas lutas, bastante alicerçadas em valores da moral e da cultura (algumas relativas ao plano da subjetividade dos indivíduos), às causas objetivas, dadas pela estrutura econômica e imposições do mercado numa economia globalizada. Com isso, os conflitos sociais ganham caráter universal e o movimento social retoma as antigas polaridades: dominantes x dominados, ricos x pobres, típicas dos movimentos sociais dos anos de 1960-1970, mas num contexto completamente diferente, numa conjuntura onde, parodiando Negri, "os Estados-nações não podem mais controlar os movimentos do capital e as lutas em seu próprio espaço" ("Negri defende antiliberalismo globalizado", *Folha de S. Paulo*, 03/02/02, p. A12).

A forma como tende a ocorrer a articulação dos fatores subjetivos aos objetivos também é nova. Apesar de setores da esquerda "tradicional" verem no movimento antiglobalização a chegada de uma nova Internacional, talvez uma explicação para o que está ocorrendo possa vir também da psicanálise, e não apenas da política como querem os defensores da prioridade absoluta do macroestrutural e econômico propriamente dito. Como se sabe na teoria psicanalítica, principalmente na linha freudiana, não há lugar para um sujeito uno, mas sim para o sujeito singular. A identidade desse sujeito/indivíduo é construída aos poucos a partir dos valores (herdados e adquiridos), desejos, fantasias, sonhos etc. É essa identidade que possibilita-lhe reconhecer-se ou identificar-se com certos signos, apelos, causas etc. Por suposto, ela permite também diferenciá-lo daqueles signos que não reconhece como sendo parte de seu "eu", e por isso lhe fará oposição. No movimento antiglobalização, a identidade coletiva se forma a partir da aglutinação de denominadores comuns existentes nas identidades singulares de seus membros. O sujeito coletivo vai se formando a partir dos diferentes atores sociais que o compõem; pelo reconhecimento de uns com outros da familiarização de suas causas: injustiças várias, defesa dos direitos, da ética etc.; a origem, a causa desses problemas, vai se construindo o movimento propriamente dito, independentemente de suas raças, etnias, nacionalidades, gêneros, idades, culturas, religiões. Ou seja, atores sociais pertencentes a diferentes movimentos e organizações se encontram e criam esse espaço de reconhecimento, de semelhança de propósitos; tornam-se interlocutores privilegiados de uma espécie de trama intersubjetiva chamada antiglobalização econômica, corporativa, neoliberal, e outros adjetivos. A busca de realização dos desejos dos atores individuais leva a atuação coletiva, conjunta.

Resulta que a novidade no movimento antiglobalização é que ele está unindo, sem apagar as diferenças, num campo de ação comum, grupos políticos e tribos culturais que até então sequer sentavam-se juntos para dialogar. Está também reinserindo os sindicatos, ainda que de uma forma um tanto marginal, no calendário das lutas sociais. Ou seja, o movimento antiglobalização é, em si, um novo ator sociopolítico e está recolocando o tema do sujeito no processo de mudança social, um sujeito político configurado de forma nova, plural e fragmentado pela diversidade de frentes que abrange. Neste sentido concordamos tanto com Michel Hardt que afirma: "Os protestos de Seattle a Gênova foram as melhores coisas que aconteceram desde 1968. É a primeira politização séria de uma geração completamente nova. Uma maneira de pensar e uma militância totalmente originais. [...] a resistência tinha tendência a se globalizar", ao se referir aos prognósticos contidos no livro *Império* (2000), em coautoria com Toni Negri (*Folha de S. Paulo*, 04/02/02, p. A8), como com Naomi Klein quando diz: "Os movimentos antiglobalização devem rejeitar a centralização do poder, precisam elaborar uma nova concepção de poder. Daí serem fragmentados" (Naomi Klein defende "nova forma de poder". *Folha de S. Paulo*, 01/02/02, p. A6).

Enganam-se aqueles que os desdenham como retrógrados ou utópicos. Suas demandas têm substância. A compreensão e a análise de suas ações e pautas reivindicatórias deveriam interessar a todos que sonham com uma sociedade sem desigualdades e com justiça social, ou seja, com um novo tipo de modelo civilizatório, com desenvolvimento econômico, mas também com justiça e igualdade social. Realizar isso é um desafio gigantesco para as forças democráticas do planeta, pois implica num modelo civilizatório que respeite as diversidades culturais dos povos e nações, sem submeter-se a nenhuma delas, pois cada uma contém seus imperativos e constrangimentos étnicos, religiosos e raciais. Quando os desequilíbrios econômicos regionais se exacerbam face às regras do mercado mundial; as injustiças sociais não diminuem, tendendo a se perpetuarem; os princípios do direito e as formas jurídicas consagradas se enfraquecem face ao submundo de crimes organizados, drogas, impunidades etc.; e os imperativos culturais locais não resistem à uniformização das políticas globalizantes; forma-se o caldo da desordem e do caos, podendo vir à tona, facilmente, os fundamentalismos, fatalismos, fobias, tribalismos, nacionalismos intolerantes etc. Portanto, nas demandas do movimento antiglobalização podemos encontrar caminhos e possíveis soluções para o futuro, e não problemas, como os que o combatem afirmam, *a priori*.

Em períodos de crise, aspirações por mudanças e pensamentos libertários reacendem-se. Oscar Wilde, há mais de 100 anos atrás, já assinalava: "A miséria e a pobreza são de tal modo degradantes e exercem um efeito tão paralisante sobre a natureza humana que nenhuma classe consegue realmente ter consciência de seu próprio sofrimento. É preciso que outras pessoas venham apontá-lo e mesmo assim muitas vezes não acreditam nelas. [...] É por isso que os agitadores são necessários. Sem eles, em nosso estado imperfeito, a civilização não avançaria" (WILDE, O. *The Soul of Man under Socialism*, 1891). Mas o capitalismo também já se especializou em capturar todas as formas de manifestações, a favor ou contra, em fonte de lucro. Um videogame sobre os protestos antiglobalização já foi lançado. Seu objetivo: formar um grupo de ativistas, destruir o maior número de pontos de uma cadeia de hambúrgueres e conseguir fugir da polícia!

Referências

ALBERT, Michael (2002). "Qual mundo é possível". *Cadernos Diplo – Le Monde Diplomatique,* n. 3, p. 18-21.

GEORGE, Susan (2002). *O Relatório Lugano*. [s.l.]: Boitempo.

GOHN, Maria da Glória (2002). "De Seattle a Gênova – Uma radiografia dos movimentos antiglobalização". *Folha de S. Paulo,* Caderno Mais, n. 520, p. 14-15, 27/01/02.

HOUTART, François & POLET, François (2002). O *outro Davos*. São Paulo: Cortez.

KLEIN, Naomi (2002). *Cadernos Diplo – Le Monde Diplomatique,* p. 22-25.

NEGRI, Toni (2002). "Negri defende antiliberalismo globalizado". *Folha de S. Paulo*, 03/02/02, p. A12.

SEONE, José & TADDEI, Emílio (orgs.) (2002). *Resistências Mundiais (de Seattle a Porto Alegre)*. Petrópolis: Vozes/Clacso.

TOURAINE, A. (2002). "O eixo da inquietude". *Folha de S. Paulo*, Caderno Mais, n. 526, p. 3, 10/03/02.

3
I e II Fórum Social Mundial em Porto Alegre

Maria da Glória Gohn

Apresentação

Embora o Fórum Social Mundial faça parte da agenda de protestos contra o atual modelo de globalização econômica, decidimos apresentá-lo, neste livro, separado do texto relativo ao movimento antiglobalização por vários motivos. Dentre eles, destacamos: trata-se de um evento organizado e realizado de forma distinta dos atos e ações coletivas do movimento antiglobalização; o FSM, assim como o movimento antiglobalização, também é composto por uma rede de ONGs de natureza variada, sindicatos, movimentos sociais etc., mas nem todas suas instituições membros participam simultaneamente dos dois tipos de eventos; as coordenações do movimento antiglobalização e do FSM são distintas. O FSM criou em 2002 um conselho internacional integrado por 58 entidades. O comitê brasileiro é integrado por oito entidades.

Destaque-se que manifestantes do movimento antiglobalização participaram também do II Fórum Social ocorrido em Porto Alegre, na mesma data do FEM/NY, analisado no capítulo anterior. Além disso, ocorreram seminários e reuniões promovidos pela Attac – entidade bastante ativa no movimento antiglobalização, no FSM I e II.

Assim como o movimento antiglobalização, o FSM é diverso e plural, tanto do ponto de vista das correntes político-partidárias que há em seu interior, das ideologias e programas políticos que alimentam seus projetos e propostas; das matrizes políticas, ideológicas e religiosas que participam do mesmo; assim como das culturas locais e nacionais que professam e defendem. Mas há elementos comuns que os unem, destacando-se a de terem posição contrária ou diferente das políticas econômicas implementadas pelo modelo da atual globalização econômica, principalmente devido aos seus efeitos. Por isso, a miséria é combatida (e não apenas a pobreza), pois ela é um efeito da globalização. Quanto às causas da situação de miséria, os denominadores comuns são muito poucos porque o leque de posições, valores, referenciais paradigmáticos e projetos políticos das organizações daqueles que participam do FSM é grande e heterogêneo, oscilando entre diferentes matizes da esquerda (embora os mais radicais o critiquem) aos liberais de centro.

Antes do FSM de 2002, três grupos pertencentes ao movimento antiglobalização – a Ação Global dos Povos, o Black Bloc espanhol e a FAG (Federação Anarquista Gaúcha) manifestaram-se contra a realização do II FSM, assim como contra o FEM/NY, e prometeram realizar atos de protestos contra, pois consideraram o FSM "reformista". De fato ocorreram alguns atos, isolados, que tiveram pouca repercussão em face à proporção do II FSM enquanto evento em si (além da tentativa de ocupação de um prédio em Porto Alegre, um grupo de jovens anarquistas, pertencentes a uma das alas do movimento antiglobalização, jogou uma torta no rosto da ministra da Juventude da França, pertencente ao Partido Comunista Francês, quando ela se preparava para dar uma entrevista em Porto Alegre).

O FSM não é um evento acadêmico, embora apresente análises e palestras de "acadêmicos". Seu eixo estruturante não é a análise teórica bastante usual nos congressos científicos. Análises da conjuntura são feitas, assim como apresentam-se inúmeras experimentações alternativas, desenvolvidas por ONGs, movimentos sociais, sindicatos, poderes públicos em parceria com a comunidade organizada ou com organizações do Terceiro Setor etc. Em 2002 alguns organizadores do FSM argumentaram: "O Fórum tem essa vertente de mobilização, de protesto, mas ele também possui um lado propositivo, de debates de ideias. O que significa fundamentalmente uma aposta na política..." (HADDAD, Sérgio. "Fórum Social rejeita o espírito de Seattle". *Folha de S. Paulo*, 21/02/02, p. A6).

Para nós, o FSM é, em si, uma rede de redes. Neste sentido, concordamos com Gilson Schwartz quando diz que as informações sobre o FSM (referindo-se ao II FSM) "espelham um estilo de organização social que não se encaixa nos modelos habituais de representação e de mobilização" (*Folha de S. Paulo,* 10/02/02, p. B2). O FSM, ao protestar contra a atual globalização econômica, fortaleceu a rede de um outro tipo de globalização: a sociocultural, tecida por alguns valores universais, como a solidariedade e a justiça social e pela troca de experiências culturais nacionais gerando novas articulações no plano da cultura, de caráter transnacional.

A cobertura dada pela mídia nacional foi bastante criticada por vários políticos e participantes que estiveram no I e II FSM[1]. Em parte concordo com as críticas, pois nos dois fóruns a mídia destacou o espetacular, o inusitado, ou o casual e o fortuito, ou ainda um corre-corre atrás das "estrelas" para as fotos

---

1. Dentre as críticas feitas em 2002, destacam-se: Fábio Konder Comparato, que afirmou na Coluna do Leitor da *Folha de S. Paulo:* "Quem não foi a Porto Alegre e limitou-se a acompanhar o II Fórum Social Mundial pelas informações veiculadas pela *Folha* [...] não passou de um grande 'happening' [...] foi um ajuntamento de esquerdistas românticos e inconsequentes" (*Folha de S. Paulo*, 07/02/02, A3). Erminia Maricato sugeriu "a formação de uma rede de acompanhamento crítico dos meios de comunicação". Michael Haradom, da Cives, propôs "construir uma mídia cidadã, alternativa ou independente, como se queira chamar" (Avaliação do II FSM organizada pelo Vereador Nabil Bonduki/SP).

e grandes manchetes; formou-se um coro relacionando todos os eventos como sendo manifestações da esquerda: ora do PT (nacional ou gaúcho), ora com a esquerda francesa, ora os radicais *versus* os moderados etc. Pouco se noticiou sobre o conteúdo dos trabalhos apresentados, especialmente nas oficinas – onde o leque de experimentações apresentadas foi grande e variado, centrado basicamente em processos alternativos, muitos deles desenvolvidos por ONGs e instituições do Terceiro Setor em parceria com os próprios órgãos governamentais, algumas com o apoio financeiro de organismos da cooperação nacional e internacional, como certos programas de corporações transnacionais.

Mas é preciso destacar também que a mídia deu, especialmente em 2002, espaço ao FSM, tanto quanto ao FEM/NY. A *Folha de S. Paulo* criou uma seção diária: "Qual Globalização". Uma semana antes do FSM a *Folha* publicou, em sua edição de domingo, o Caderno "Mais" (n. 520, 27/01/02) com uma edição especial focalizando a discussão da globalização; a *Folha* realizou também inúmeras entrevistas com organizadores e convidados do Fórum antes e depois do evento[2]. Esse material constitui um registro precioso para todos aqueles que se interessem pela análise do FSM e foi bastante utilizado neste texto.

Desde logo assinalo que as considerações que seguem são preliminares, pois não temos, ainda, todo o material das edições

---

2. Destacam-se as seguintes entrevistas: Sérgio Haddad, presidente da Abong e membro do Comitê Nacional do FSM (21/01/02, A6); Susan George (27/01/02, A12) (essa autora, que é também vice-presidente do Attac, participou de um debate sobre a globalização promovido pela *Folha* em seu auditório, no dia 30/02, fazendo o lançamento de seu livro); Boaventura de Souza Santos (28/01/02, A6); Noam Chomsky (30/01/02, A6); Naomi Klein (01/02/02, A6); Antonio Negri (03/02/02, A12); Michel Hardt (04/02/02, A8); Rigoberta Menchú (04/02/02, A6); Wallerstein (10/02/02, A7) etc. Para finalizar, destaque-se o espaço concedido neste mesmo período na Coluna "Tendências e Debates" a vários participantes e políticos, inclusive ao prefeito de Porto Alegre, Tarso Genro (04/02/02, A3), e ao governador do Rio Grande do Sul, Olívio Dutra (03/02/02, A3).

do FSM completamente sistematizadas. O texto se baseia em observações que realizamos *in loco* no decorrer dos dois fóruns, no material publicado na mídia televisiva e na imprensa paulista (principalmente a *Folha de S. Paulo*), alguns relatórios de grupos participantes de oficinas e seminários, material retirado via internet (inclusive do próprio site do FSM) e alguns livros já publicados a respeito do I FSM.

Ao final deste capítulo faremos uma breve comparação entre o I e o II Fórum Social Mundial.

1 O I Fórum Social Mundial - Porto Alegre 2001

Na América Latina, entre 1987 a 1998, o número de indigentes saltou de 63,7 milhões para 78,2 milhões. Em contrapartida, houve um crescimento da riqueza concentrada nas mãos de poucos. O aumento da pobreza não é um dado estatístico de ordem meramente econômica. Ele é um dado político e, como tal, tem gerado duas reações entre os membros das redes do movimento antiglobalização: protestos nos encontros dos poderosos e ações inovadoras para superar a exclusão social via projetos de desenvolvimento sustentável.

O que procuramos demonstrar a seguir é o surgimento de um novo movimento social que se construiu no desenrolar do I Fórum Social Mundial, realizado em Porto Alegre, em janeiro de 2001. A partir da oportunidade política aberta pelos protestos contra o capital especulativo internacional, grupos de ONGs, movimentos e sindicatos se uniram, criaram redes de redes, e usando a criatividade elaboraram a proposta de um evento internacional que fosse um contraponto à agenda do Fórum Econômico Mundial, realizado anualmente em Davos. Para que pudesse vir a ter visibilidade política internacional, sua realização foi planejada simultaneamente ao megaevento (em temos de poder econômico) de Davos.

Procurando demonstrar que um outro mundo é possível, quase vinte mil pessoas reuniram-se no I Fórum Social Mundial para discutir essas ações inovadoras. Elas criticaram as políticas voltadas exclusivamente segundo os interesses do mercado, a hegemonia do pensamento único, e construíram uma pauta de alternativas face às demandas sociais. O evento, organizado em tempo recorde por oito entidades[3], ganhou projeção inusitada: delegações de 122 países estiveram presentes (predominando as oriundas do Terceiro Mundo); quase quatro mil delegados representaram 800 organizações sociais; cerca de 400 oficinas apresentaram trabalhos de experiências inovadoras no campo social, que iam da formação de lideranças comunitárias aos trabalhos de geração de renda, trabalhos com grupos em situação de risco, ações de grupos de mulheres e suas diferentes frentes de lutas, projetos inovadores desenvolvidos nas escolas públicas, inúmeras experiências no campo da ecologia ambiental, resultados de ações de parcerias povo-governo, políticas sociais cidadãs voltadas para a inclusão social, novas formas de gestão de setores públicos via conselhos, práticas inovadoras de planejar a cidade e o Estado via orçamentos participativos etc. Os ecologistas estiveram presentes e o tema dos transgênicos roubou a cena na mídia, mas não foi o grande tema do evento. O grande tema foi o da desigualdade nas relações comerciais existente nas relações entre os países, acentuadas consideravelmente pela globalização. Este foi uma das grandes novidades da pauta do Fórum, pois antes dele o tema gerador das desigualdades era colocado apenas na questão da dívida externa.

---

3. As oito entidades foram: uma central sindical (CUT – Central Única dos Trabalhadores), uma associação nacional de ONGs (Abong – Associação Brasileira de ONGs), e cinco outras ONGs, a saber: Cives (Associação Brasileira de Empresários pela Cidadania), CJT (Centro de Justiça Global), MST (Movimento dos Trabalhadores Rurais Sem Terra), Fase (Federação de Órgãos para a Assistência Social e Educacional), Ibase (Instituto Brasileiro de Análises Sociais e Econômicas), Centro de Justiça Global e Attac (Ação pela Tributação das Transações Financeiras em Apoio aos Cidadãos), a única de âmbito internacional.

É importante registrar que, desde o início, o setor da cultura foi um dos eixos fundamentais de articulação dos discursos e da própria forma de estruturação das apresentações. A sessão de abertura contou com um mínimo de discursos. Ela foi dominada pela música – onde o som dos tambores ecoavam como uma convocação geral e um grito de alerta, ou de revolta – e pelas representações coreográficas e simbólicas que criaram o cenário de um mundo mágico e místico. Cerca de 1.700 jornalistas cobriram a reunião, que foi denominada de anti-Davos – pela contraposição que representava ao Fórum Econômico Mundial.

A agenda do I Fórum Social construiu-se a partir de um repertório de propostas que pudessem ser alternativas ao modelo econômico neoliberal vigente. A reunião foi diferente dos protestos que vêm ocorrendo durante as reuniões de cúpulas no Primeiro Mundo, porque não construído a partir de atos espetaculares de protestos, mas de discussões e debates ao redor de projetos alternativos – ainda que tenha ocorrido uma marcha, prevista na programação oficial –, além de atos isolados de alguns manifestantes, e um ato de desobediência civil extra-Fórum que chamou a atenção dos refletores da mídia, organizado pelo MST, com a participação do líder francês José Bové, que foi a destruição de trechos da produção de transgênicos, da multinacional Monsanto.

Planejado para contrapor-se ao fórum de Davos, o I FSM priorizou o social e não o econômico. O debate extraoficial ocorrido entre George Soros e representantes do FSM deu visibilidade internacional aos que protestavam e propunham que "um outro mundo era possível". Um dos pontos relevantes do encontro de Porto Alegre foi o debate ocorrido via uma teleconferência entre alguns participantes do Fórum Social com o Fórum Econômico, destacando-se nesse último o megainvestidor G. Soros. Os próprios organizadores afirmam que o confronto era previsto, mas eles imaginavam que isso levaria alguns anos. Inicialmente

Davos não aceitou um confronto institucional, mas depois alguns participantes de Davos concordaram em participar do debate de forma individual. Disso resultou que o debate acabou entrando para a história como Porto Alegre *versus* Davos. Ele demonstrou que Davos não tinha respostas para as questões sociais colocadas por Porto Alegre, tais como sobre a fome e a miséria que atinge o Terceiro Mundo. O debate legitimou o encontro de Porto Alegre como um interlocutor válido e projetou o evento para o mundo todo: dois dias depois do debate foi reproduzido por um compacto nas principais redes de TV do mundo.

A nosso ver, o aspecto mais importante que ocorreu em Porto Alegre, e que a grande mídia não percebeu, porque estava mais preocupada em "demonstrar suas teses", qual seja, o suposto caráter político-partidário do evento, foi a reconstrução de alguns eixos de lutas, a construção de algumas utopias novas e o fundamental: o delineamento de um sujeito coletivo, de caráter político, transnacional, composto pelas ONGs, sindicatos, movimentos sociais, representantes de alguns partidos políticos etc. A constituição deste "novo sujeito", composto por uma pluralidade de atores sociais diferentes, poderá ser um marco referencial importante no futuro dos povos que lutam contra os efeitos devastadores da globalização econômica e seu caráter excludente. A grande mídia no Brasil não apenas não entendeu o alcance político do I Fórum Social como procurou descaracterizá-lo.

Sabemos que a constituição de novos sujeitos coletivos requer algumas condições efetivas, tais como: ser detentor de certos direitos políticos por representarem coletividades legitimadas socialmente; ter capacidade e habilidade para expressar as demandas daquelas coletividades; elaborar planos e estratégias de ação; ter habilidade para aproveitar ou criar oportunidades políticas favoráveis à ação coletiva; deter alguns recursos humanos e de infraestrutura básica etc. O conjunto de condições assinaladas estiveram presentes em Porto Alegre e o novo sujeito político foi delineado: parte de um novo movimento social, o movimento antiglobalização, portador de um projeto político para uma nova sociedade, nos marcos da democracia, com ética, cidadania e participação direta dos cidadãos na gestão pública. O que se reivindicou não era um outro regime político, ainda que alguns manifestantes assim se expressassem (localizando-o nos moldes de uma sociedade socialista). O que a grande maioria dos movimentos, ONGs e entidades lá presentes demandavam era uma sociedade desenvolvida, com as facilidades da informática e das comunicações, mas sem exclusão social, sem discriminações, com respeito às diferenças culturais e diversidades locais e regionais, uma sociedade regulada por governos que tenham uma nova agenda das prioridades. Um novo *frame* foi formatado, criando um marco referencial de um novo modelo de sociedade, resgatando a utopia que se dizia perdida e ou esquecida nos anos 90. Neste *frame* observou-se o que Le Goff tem assinalado: a desocidentalização da história, ou seja, questiona-se o chamado Primeiro Mundo e a hegemonia dos valores da sociedade norte-americana como o modelo ideal a seguir. Ao mesmo tempo, valores orientais, centrados na vida, contemplação e espera são resgatados como ideais.

A presença institucional da universidade foi pequena no I Fórum Social, ainda que muitos de seus profissionais lá estivessem, usualmente em nome de outras representações, principalmente de ONGs ou associações de classe, e do próprio evento ter ocorrido nas dependências de uma universidade: a Universidade Católica de Porto Alegre.

Outro destaque que pudemos observar foi a articulação das múltiplas redes de associativismo existentes. Grupos de lideranças comunitárias, que no passado competiam e divergiam, encontraram uma linguagem comum, sentaram-se à mesa, e elaboraram pautas e estratégias conjuntamente. Movimentos sociais distintos discutiram em uma mesma sessão, ONGs uniram-se a sindicatos, movimentos sociais e outras entidades da sociedade civil. Este fato é inédito e histórico. Trata-se do respeito à diversidade de opiniões e aponta para uma grande articulação com inúmeras possibilidades futuras, no sentido da construção de alguns pontos de consenso que delineiem projetos alternativos aos modelos de exclusão social vigentes. Trata-se também de uma articulação de natureza diferente da que foi construída no passado em momentos de crise política institucional, como as "Diretas Já", o *impeachment* de Collor etc. Desta vez, a origem e o fundamento básico da articulação é de ordem estrutural e não conjuntural; econômica e cultural transnacional e não da política nacional.

O predomínio da diversidade de opiniões explica por que o evento não produziu um documento final único, a exemplo das grandes reuniões internacionais. O evento gerou inúmeras cartas e propostas, por áreas temáticas; e gerou diagnósticos nas 400 oficinas que levarão ainda certo tempo para serem sistematizados. Dentre os documentos finais elaborados ao final do I FSM destacamos um, elaborado por 184 entidades da sociedade civil para verificarmos o perfil dessas entidades, a que se dedicavam. E obtivemos os seguintes dados: dentre as 184, 42 eram brasileiras distribuídas em: *12 movimentos sociais* (duas da área de direitos humanos, três de mulheres [duas da agricultura e uma de negras], uma de moradores atingidos por grandes obras estatais, duas de conselhos populares, uma contra a fome, uma de consulta popular, uma de trabalhadores/as rurais, e uma central de movimentos populares); *11 ONGs* (três de jovens, uma de mulheres, duas de ambientalistas, uma de direitos humanos, uma de cultura, três centros de estudos); *18 sindicatos*, sendo: três centrais, duas associações e 13 sindicatos de categorias específicas). O perfil dos participantes e a área onde atuam dá-nos uma ideia de algumas das forças sociais que se uniram no evento. Esses dados podem ser sistematizados no seguinte quadro:

Perfil de 42 entidades brasileiras (em um universo de 184)

ATORES	ÁREAS DE ATUAÇÃO	
12 MOVIMENTOS	DIREITOS HUMANOS	2
	MULHERES	3
	ASSOCIAÇÕES DE MORADORES	2
	CONSELHOS POPULARES	3
	TRABALHADORES RURAIS	1
	CENTRAL DE MOVIMENTOS POPULARES	1
11 ONGs	JOVENS	3
	MULHERES	3
	AMBIENTALISTAS	2
	DIREITOS HUMANOS	1
	CULTURA	1
	CENTROS DE ESTUDOS	1
18 SINDICATOS	CENTRAL SINDICAL	3
	ASSOCIAÇÃO PROFISSIONAL	2
	SINDICATOS – CATEGORIAS ESPECÍFICAS	13

2 O II Fórum Social Mundial – Porto Alegre 2002

A segunda edição do evento reuniu na capital gaúcha 4.909 entidades provenientes de 131 países, e contou com 51.300 participantes, sendo que 35 mil eram ouvintes e 180 eram convidados oficiais. As maiores delegações foram: Brasil (6.503), Itália (694), França (533) e Estados Unidos (367). Foram realizadas 27 conferências, divididas em quatro blocos (produção de riqueza, acesso às riquezas, afirmação da sociedade civil e poder político e ética) e cerca de 800 seminários e oficinas. É importante destacar que ocorreu em 2002, durante ou nos dias que antecederam o II FSM, outros grandes encontros em Porto Alegre, destacando-se o Fórum das Autoridades Locais, que reuniu prefeitos de cidades da América Latina, África e Europa para discutirem como reduzir a exclusão social; o Fórum Mundial de Juízes; o Fórum Parlamentar Mundial; o Fórum Preparatório ao Rio+10; o Encontro Mundial da Juventude; um Fórum Mundial de Audiovisual; e até um Forunzinho Social, reunindo crianças com a apresentação de oficinas sobre meio ambiente e pluralidade cultural. Alguns desses eventos estavam embutidos na própria programação do II Fórum Social Mundial.

2.1 A participação dos movimentos sociais

Dentre os principais movimentos sociais que participaram do II FSM estiveram os rurais – movimentos dos sem-terra, onde se destacaram o MST, embora com bem menos destaque que em 2001, a Via Campesina, com grande presença de mexicanos e equatorianos, e alguns franceses. O movimento indígena contou com a presença de alguns "símbolos" internacionais, como a guatemalteca Rigoberta Menchu, Prêmio Nobel da Paz em 1992, mas não contou com a presença de vários representantes de tribos indígenas de fato. Havia muitas ONGs que trabalham com eles (ou falam por eles, segundo alguns). O movimento mais visível e articulado foi o das mulheres, embora a maioria pertencesse a ONGs (e não a movimentos de mulheres propriamente ditos). O movimento ambientalista esteve presente e novamente o tema dos transgênicos dominou a cena, mas desta vez no plano dos debates ou minipasseatas pacíficas. O movimento dos descendentes africanos esteve presente também, mas não teve visibilidade proporcional ao seu número populacional no Brasil (para não dizer no mundo). Dos movimentos sociais populares urbanos, o movimento pela moradia foi o mais atuante, tanto em atos de protesto organizados pela Central dos Movimentos Populares como no plano dos debates, articulados por um *pool* de entidades onde se destacava o Fórum Nacional pela Reforma Urbana e grupos do Habitat. A questão da saúde, muito presente no Brasil atual devido à epidemia da dengue, não teve repercussão no conjunto dos movimentos que tiveram maior visibilidade. Outro movimento social com pouca participação foi o dos homossexuais. O movimento sindical esteve bastante presente, via CUT e algumas federações internacionais, com a CIO americana, mas não teve a mesma visibilidade que teve em 2001 (embora a mídia sempre o tenha destacado).

Para exemplificar a diversidade de entidades que participaram do II FSM, mapeamos, a partir do programa distribuído no Fórum (um "calhamaço" de jornal), o perfil de suas 27 conferências, segundo as entidades que representavam seus palestrantes. Escolhemos as conferências porque elas eram os eventos principais, aglutinadas em quatro eixos temáticos, e ocuparam o maior tempo e os maiores espaços físicos no FSM. Em todas as manhãs teve uma média de sete conferências simultâneas e alguns seminários. No período da tarde o tempo foi direcionado para a quase totalidade das 800 oficinas e seminários ocorridos (para o futuro pode-se utilizar o mesmo procedimento do mapeamento para os seminários e para as centenas de oficinas). O resultado que obtivemos com o mapeamento das Conferências demonstra que predominaram as redes de ONGs internacionais, embora também alguns movimentos sociais possam ser identificados, tais como o sindical, os rurais, de mulheres, étnicos, religiosos etc. Os ambientalistas são de identificação mais difícil porque se confundem com as próprias ONGs que criaram. Outra dificuldade no mapeamento: os povos indígenas – além de defrontarmos com a mesma dificuldade de distingui-los (quando se trata de uma ONG ou do próprio movimento), temos ainda a presença de Conselhos Institucionalizados (conquistas do movimento e das ONGs que atuam sobre o tema, mas são organizações que situam-se em outra esfera, pois extrapolam a sociedade civil e adentram na sociedade política, muitas vezes como órgãos de mediação entre os povos indígenas e o Estado, na execução de políticas públicas).

Em relação ao movimento antiglobalização, conforme assinalamos no capítulo anterior, ele é composto por uma rede de movimentos e organizações. Várias delas estiveram presentes e foram classificadas entre as ONGs. Mas quando se tratava de "movimento de resistência", assim nomeado, ou entidades organizadoras dos protestos mundiais antiglobalização, os classificamos separadamente como "movimento antiglobalização".

Apesar de todas as dificuldades e possibilidades de equívocos que uma classificação envolve, encontramos 113 entidades entre ONGs, organizações várias, movimentos sociais, sindicatos e universidades e centros de estudos. A seguir apresentamos um quadro geral das entidades mapeadas, em termos quantitativos, e, logo após, o seu detalhamento nominal[4]:

Perfil das entidades participantes das conferências do II FSM/2002

ATORES	ÁREAS DE ATUAÇÃO	
35 MOVIMENTOS	DIREITOS HUMANOS	6
	MULHERES	6
	ASSOCIAÇÕES DE MORADIA	3
	AMBIENTALISTAS	3
	TRABALHADORES RURAIS	2
	DESCENDENTES AFRO	2
	INDÍGENAS	5
	RELIGIOSOS	1
	OPÇÃO SEXUAL	1
	ANTIGLOBALIZAÇÃO	3
	DEMOCRACIA PARTICIPATIVA	3
83 ONGs	JOVENS	1
	IMIGRANTES	4
	AMBIENTALISTAS	11
	COMÉRCIO E DÍVIDA EXTERNA	36
	EDUCAÇÃO	6
	SAÚDE	6
	PRODUÇÃO CULTURAL	2
	OBSERVATÓRIO INTERNACIONAL	5

4. Algumas entidades internacionais constam, no programa oficial do II FSM, apenas como uma sigla. Nesses casos, elas foram classificadas no mapeamento segundo o tema principal da conferência que participavam. Nenhuma entidade foi classificada mais de uma vez, ainda que algumas tenham dupla-face: são movimentos e ONGs simultaneamente. O critério para a escolha para sua localização no mapeamento foi a face que mais se destaca em seu perfil de atuação na sociedade.

	REDES SOLIDÁRIAS MÍDIA ALIMENTAÇÃO POVOS INDÍGENAS	4 5 2 1
16 CENTROS DE ESTUDOS	UNIVERSITÁRIOS INDEPENDENTES	13 3
5 SINDICATOS	CENTRAL SINDICAL SINDICATOS	3 2

2.2 Detalhamento das entidades participantes nas conferências

I) 83 ONGs e redes de organizações: distribuídas entre os seguintes temas e problemas:

13 entidades: comércio mundial, corporações multinacionais, controle de capitais financeiros, dívida externa: Third World Network (Malásia), Dot Kit (África), Attac (França), Aliança Social Continental (México), Public Citizen (EUA), Global Exchange (EUA), Corpwatch (EUA), 50 Years is Enough Network (vários países), Coalition for Justice in the Maquiladoras (México), Focus on the global south (Tailândia), Rede Dawn (Filipinas, Brasil etc.), Lidy Nacpil – Freedom from Debt Coation (Filipinas), Cadtm (Comitê pela Anulação da Dívida do Terceiro Mundo) (Bélgica);

23 entidades sobre trabalho e economia solidária: Movimento Jubileu (vários países, entre eles Zâmbia, Brasil), Cidse (International Cooperation for Development and Solidarity) (França), Caritas (vários países), Cedal (Peru), Cosatu (África do Sul), Global Policy Network (EUA), Orit (Venezuela), Carola Reinties (Coalization Rural), Ires, Gresp, Rbses, Reas, Pses, Red de Trueque Solidário (Espanha), Crida (França), Fórum Social Africano (África), Ideas (Índia), Cahba (Centre Hamadou Hampaté BA) (Mali), Oxfam International (Inglaterra e vários outros países), Inra (França), Fórum Mundial das Alternativas (França), Kamataka Rajva R. Sangha (índia), Free Software Foundation (EUA);

6 entidades da área da saúde: Médicos Sem Fronteiras (Bélgica e outros países), Peoples Healph Assembly (Índia), Ibase (Brasil), Grupo pela Vida (Brasil), Union of Palestinian Medicai Relief Committees (Israel), TAC (National Executive Committee);

11 Organizações ambientalistas e desenvolvimento sustentável: Cesta and Friends of the Earth International (El Salvador), International Forun on Globalization (Chile), Programa Cone Sul (Chile), Research Foundation for Science, Tecnology and ecology (Índia), Wupertal Institute (Alemanha), Enviromental Justice (EUA), International Forun on Globalization (EUA), Fórum Mundial das Águas (Itália), International Rivers Network (EUA), Rios Vivos, Amigos da Terra (Espanha);

1 entidade dos povos indígenas: Cepis (Brasil);

2 entidades na área da alimentação: Cerai (Espanha), ETC (México);

5 organizações da mídia: Agência Latino-americana de Informação (Equador), IPS (International Press Service) (Argentina), Associação para o Progresso das Comunicações (África do Sul), Le Monde Diplomatique (França), Fairness & Accuracy in Reporting (EUA);

4 redes solidárias, de princípios e valores: Aliança pela Solidariedade e um Mundo Responsável (Inglaterra), Fé e Política (Brasil), Abong (Associação Brasileira de ONGs) (Brasil), Alternatives (Canadá);

1 ONG sobre jovens: Youth of Rio (Brasil);

2 entidades de produção cultural: Forum Alce (Espanha), Red de Centros Culturales Trans Europe Halles (Espanha);

4 entidades sobre o tema imigrantes: Immigrantes Indocumentados (República Dominicana e EUA), Groupe d'Information pour tous les Immigrés (França), Centro International para los Derechos Humanos de los Migrantes e el Produtor R.L. (Costa Rica); Centro Internacional Escarre para las Minorias Étnicas y las Naciones sin Estado de Europa – Conseu (Espanha);

6 organizações da área da educação: Fórum Mundial de Educação (França), Consejo Mundial de Educação de Personas Adultas – Icae, Ação Educativa (Brasil), Conselho Mundial da Educação (EUA), Fórum Continental de Educação (Canadá), Ceaal (Conselho de Educação de Adultos da América Latina) (México);

5 observatórios internacionais: Focus on the Global South (Tailândia), Social Watch (Uruguai), Network Institute for Global Democratization (Finlândia), Weed (Alemanha), Rede Brasil (Brasil).

II) Centrais sindicais e sindicatos (5)

Conferência Europeia dos Sindicatos – CES (Bélgica), Federação Internacional de Trabalhadores das Indústrias Metalúrgicas da América Latina e Caribe (Itália), CUT (Cental Única de Trabalhadores) (Brasil), Federação Nacional dos Urbanitários (Brasil), Federación Mundial de Trabajadores de la Agricultura y la Alimentación (Femtaa), Centrais Sindicais Cone Sur (Uruguai).

III) Movimentos sociais – Total: 11 categorias e 35 movimentos, a saber:

1 – Movimentos sociais rurais (2)

Via Campesina (Honduras e vários outros países), MST (Movimento dos Trabalhadores Rurais Sem Terra) (Brasil).

2 – Movimentos sociais urbanos pela moradia (3)

Fecoc (Federación Continental de Organizaciones Comunitárias) (México), HIC (Habitat International Coalization) (Itália e outros), Habitat International Coalization's Housing and Land Righs Committee (Índia).

3 – Movimentos populares participantes de experiências de democracia participativa (3)

Arci (Itália), All India People's Science Movement (Índia), Kssp (Índia).

4 – Movimentos ambientalistas (3)

Movimento Atingidos pela Represa de Narmada (Índia), Greenpeace International, Luta contra a Privatização das Águas (Bolívia).

5 – Movimentos de mulheres (6)

Marcha Mundial das Mulheres (vários países, entre eles Filipinas, Índia etc.), Red Latinoamericana Mujeres Transformando la Economia (Peru), Articulación de Mujeres Marco-Sur (Uruguai), Rawa (Associação de Mulheres do Afeganistão) (Afeganistão), Mulheres de Negro (Israel), The Association for the advancement of senegalese women (Aprofes) (Senegal).

6 – Movimentos descendentes afro (2)

Comitê Afro-Brasileiro (Brasil), Geledes (Instituto da Mulher Negra) (Brasil).

7 – Movimentos indígenas (5) Confederação das Nações Indígenas (Equador), Mão Indígena (Canadá), Congreso Nacional Indígena (CNI) (México), Conselho Indígena (Roraima), Aliança Estratégica de Afro-descendentes (Brasil).

8 – Movimentos religiosos (1)

Conselho Mundial das Igrejas (Quênia e outros países).

9 – Direitos humanos (6)

National Compain on Dalitts Human Rigths (Índia), Palestian Center for Human Rigths (Palestina), International Federation for Human Rights (Fidh) (Senegal), Rede Social de Justiça e Direitos Humanos (Brasil), SBSI (Indonésia), Comissão Brasileira de Justiça e Paz (Brasil).

10 – Movimentos pelo direito de opção sexual (1)

Ilga (International Lesbian and Gay Association) (Filipinas).

11 – Movimento antiglobalização (3)

Movimento de Resistência Global (Espanha), Fórum Social de Gênova (Itália), Fórum dos Pobres (Tailândia).

IV) Representantres de universidades e centros de estudos: 16

Universidade Federal do Rio de Janeiro (Brasil), Nehru University (Índia), Universidad General Sarmiento (Argentina), Centro de Estudos das Américas (Ceas-Ucam) (Bélgica), Universidade de São Paulo/Faculdade de Arquitetura e Urbanismo (Brasil), Columbia University (EUA), Conselho Latino-americano de Ciências Sociais (Argentina), Centro de Informação e Estudos sobre Migrações Internacionais (Ciemi) (França), Universidade Eduardo Mondlane (Moçambique), Alfateh University (Líbia), Universidade de Coimbra (Portugal), Universidade de Paris VIII (França), Université de Saint-Quentinem Yvelines (França), Espaces Marx (França), Universidade Estadual do Rio de Janeiro (Brasil), Revista Marx Ahora (Cuba).

O detalhamento do mapeamento dos atores participantes das conferências nos revela: em primeiro lugar, a predominância numérica das ONGs (83 num universo de 139 entidades); nas ONGs, a expressiva presença de um tipo novo, organizada sobre a temática do comércio e dívida externa (36 das 83 ONGs presentes). Este número caracteriza a emergência de redes construídas pelo processo de desagregação das fronteiras nacionais e, ao mesmo tempo, de controle das nacionalidades (as ONGs sobre os imigrantes). Estes dados nos revelam também a atualidade do FSM e o despropósito daqueles que o desqualificam como utopia retrógrada, atrasado. Os chamados temas sociais cotidianos da população atraiu pouca participação das ONGs nas conferências do II FSM (total de 14, sendo seis sobre saúde, seis sobre educação e duas sobre alimentação). Jovens e produção cultural, temas muito relevantes para a discussão da questão da violência, por exemplo, atraíram também poucas entidades para as conferências.

Entre os movimentos sociais, a participação é mais equitativa: não houve nenhum que se destacasse numericamente em relação ao conjunto dos movimentos que foram representados nas conferências. Direitos humanos e o tema das mulheres predominaram (embora tenhamos classificado todas as entidades sobre mulheres no grupo dos movimentos sociais e algumas estruturam-se como ONGs, mas atuam na rede de movimentos das mulheres e se confundem).

A presença dos sindicatos nas conferências foi pequena (ao contrário de sua expressiva participação no I FSM) e os centros de pesquisa demonstram o aumento da participação de pesquisadores da universidade (13) no II FSM.

2.3 A participação dos jovens

O II FSM reuniu cerca de 15 mil jovens, a maioria brasileiros. Talvez tenha sido a maior concentração política de jovens depois das manifestações dos "cara-pintadas", no início dos anos de 1990, na fase do *impeachment* do ex-presidente Collor de Mello. Se compararmos com os resultados de algumas pesquisas recentes levadas a cabo pela própria Unesco, onde 24% dos jovens brasileiros entre 18 a 25 anos de idade não acreditam sequer que possam melhorar suas vidas e apenas 10% demonstraram algum interesse em temas relacionados com a comunidade, o interesse dos jovens pelo FSM é surpreendente.

A seguir transcrevemos a convocatória que o FSM fez aos jovens, pois ela é bastante ilustrativa:

> *O Fórum Social Mundial e a Juventude*
> Janeiro de 2001, Porto Alegre viu nascer no Fórum Social Mundial um novo capítulo na história da humanidade. A contundência dos debates, a participação de mais de 20 mil pessoas e 117 países e a repercussão política no globo tornaram o FSM referência na globalização das resistências e na construção de alternativas à ordem neoliberal e à exclusão social. O fórum e o primeiro Acampamento Intercontinental da Juventude foram espaços de expressão de uma nova geração política que, desde Seattle, protagoniza o movimento contra a globalização capitalista. Os mais de três mil participantes do acampamento construíram esta convivência com base no respeito às diferenças, à

pluralidade e no compromisso com o ser humano. Um ano depois, o Parque Harmonia recebe novamente jovens de todas as partes do mundo, todas as tribos reunidas para construir um mundo melhor. Iremos conviver e trocar experiências e avançar na construção da resistência global.

O II Acampamento Intercontinental da Juventude: a experiência de 2001 possibilitou ao Comitê de Juventude do FSM um planejamento baseado nos princípios e conceitos diretamente inseridos na discussão do outro mundo possível. A Cidade de Juventude Carlo Giuliani (homenagem ao jovem assassinado nas manifestações contra o G-8 em Gênova) será nosso espaço de convivência durante o FSM/2002. O Comitê de Juventude propõe a todas as juventudes a grade que segue: circuito cultural, conferências abertas ao acampamento, laboratório de resistência global, oficinas temáticas, e o encontro mundial da juventude" (retirado da *home page* do Fórum Social Mundial).

O Caderno *Folhateen* da *Folha de S. Paulo* fez uma reportagem sobre o II FSM, com manchete em sua capa, em que dividiu os jovens participantes em três grupos: militantes, jovens sem saber bem o que estavam fazendo lá e jovens que integram ONGs e movimentos sociais. Concordamos parcialmente com essa divisão porque observamos que o grupo predominante era o composto por jovens que integram ONGs e movimentos sociais relacionados com meio ambiente, direitos sexuais, combate às drogas, grupos culturais, direitos humanos etc. Esse grupo esteve majoritariamente na apresentação de oficinas de trabalho desenvolvidas pelas instituições que abrigam suas causas. O segundo grupo foi o mais "ruidoso", composto por militantes de partidos políticos de esquerda, movimentos estudantis, sindicais e do MST. Esse grupo concentrou suas atividades em atos de protesto no interior dos próprios locais onde o Fórum estava ocorrendo, e em reuniões de troca de experiências, avaliação e planejamento de suas atividades. Eu tive a oportunidade de assistir a um seminário "De Seattle a Porto Alegre", onde jovens de diferentes partes do mundo que participaram de atos do movimento antiglobalização relataram suas experiências e levantaram pontos para uma continuidade do movimento, segundo o calendário já programado para 2002.

Quanto ao terceiro grupo, "os que não tinham muita ideia do que estavam fazendo na cidade", creio que vieram chamados pelo desejo do novo e de mudança e concentraram-se nos inúmeros eventos culturais que o Fórum promoveu. Creio que quem melhor os descreveu foi o escritor Ferréz, em interessante artigo publicado no mesmo *Folhateen,* do qual transcrevemos na nota abaixo algumas de suas partes[5].

---

5. Segundo Férrez, "chegar ao fórum foi muito estranho. À primeira vista, eu me espantei. Parecia um grande *shopping-center*, com centenas de carros estacionados em frente ao prédio da PUC. Lá dentro, mais surpresas. Não era nada do que eu esperava. Muita gente andava apressada de um lado para outro, com um jornal que continha toda a programação nas mãos. Resolvi sair um pouco, passei pela área verde da PUC e comecei a perceber onde estaria o verdadeiro fórum. Com pessoas sentadas na grama foi fácil iniciar a conversa. E lá vai papo sobre socialismo, anarquismo, capitalismo selvagem e até terrorismo. Depois de longas conversas com variadas tribos, achei o foco do fórum. Todos apontavam para um só lugar, o acampamento, e para lá fui [...] em meio a centenas e talvez milhares de barracas armadas, jovens de todas as nacionalidades, de todos os movimentos [...] Comecei a perceber que o verdadeiro fórum era ali, pois de uma barraca para outra era frequente a troca de comidas, os livros estendidos no chão, peças de artesanato, cartões e camisetas [...] Havia uma rádio chamada 'Muda'. Os materiais à venda no fórum eram mais ideológicos, sabe? Mais verdadeiros. Frases como 'Consiga a paz através do terror', ou seja, uma atitude bem mais forte do que a do Fórum da PUC com seus repetitivos: 'Um mundo melhor é possível'. O que notei também foi que o pessoal do acampamento ia para o fórum vender seus produtos e dificilmente acompanhava o que acontecia lá dentro [...] Outra atitude que havia em demasia no fórum eram as bandeiras de partidos, principalmente de esquerda. No acampamento, o que se via eram faixas com o nome dos movimentos de cada Estado e de cada país, faixas da Argentina ao lado do pessoal do MTD (Movimento dos Trabalhadores Desempregados), que ficava ao lado dos *punks* finlandeses, que, por sua vez, ficavam do lado dos *rappers* do Norte e do Nordeste" (FERRÉZ. "O verdadeiro fórum é mais embaixo", escritor e autor de "Capão Pecado", texto especial para a *Folha de S. Paulo, Folhateen,* 11/02/02, p. 7).

Para finalizar, a participação dos jovens teve efeitos multiplicadores: um grupo de jovens paulistas que esteve no II Fórum Social Mundial organizou o *Forró Social Mundial* – uma apresentação de suas experiências com relatos, fotos e vídeos, seguida de um *show* e danças com alguns trios, no Centro Cultural Elenko, em Pinheiros/São Paulo. O evento foi noticiado no *Guia Semanal da Folha* (*Folha de S. Paulo*, 22 a 28 de fevereiro, p. 61).

A *ciência* e a *tecnologia* foram temas também debatidos no II FSM. O boletim divulgado na internet "Uma outra ciência é possível?" destacou que se abordou as consequências da globalização no campo da ciência e da tecnologia. Segundo alguns pesquisadores, a ciência transformou-se profundamente durante a década de 1990, após certos acordos comerciais internacionais. Hoje, com as novas leis de propriedade intelectual, a pesquisa científica estaria fortemente influenciada pelo capital. Transgênicos, patentes e o software livre foram citados e analisados no Fórum.

2.4 A cobertura pela mídia do II FSM: manchetes e destaques

Sobre a abertura do II FSM, a *Folha de S. Paulo* publicou como manchete principal, na primeira página, o título que gerou o *slogan* para sua cobertura nos dias do FSM, a saber: "Qual Globalização?" A página foi dividida em três espaços: ao meio, havia duas fotos, uma retratando um prédio com bandeiras vermelhas em todas as janelas, exceto em uma, com a bandeira brasileira. A outra foto, colada à primeira, retratava parte da fachada do hotel Waldorf Astoria, em Nova York. Dois pequenos textos foram escritos ao lado das fotos. No lado esquerdo da foto nacional, com o título "Marcha em Fórum no RS ataca EUA e apoia Cuba" informava-se: "Cerca de 300 famílias do movimento dos sem-teto invadem prédio abandonado há seis anos em Porto Alegre, no dia da abertura do II Fórum

Social Mundial". Completando a página, no lado direito, junto da foto do hotel americano, o título era: "Brasil é elogiado em abertura de Fórum de NY". O texto que seguia iniciava-se com os dizeres: "Analistas demonstraram confiança na economia do Brasil no início do Fórum Econômico Mundial deste ano" (*Folha de S. Paulo*, 1°/02, Al). No interior do jornal destacou-se que a marcha que antecedeu a abertura do II FSM foi pacífica e reuniu 50 mil pessoas, embora um grupo de 600 militantes do movimento antiglobalização tenha entrado em conflito com membros da CUT. Informou-se ainda que os manifestantes se incorporaram à marcha com batucada, faixas e bonecos, mas, após o desentendimento com a CUT, eles saíram da marcha.

O jornal *Zero Hora*, de maior circulação em Porto Alegre, noticiou diariamente os eventos do Fórum, e deu grande destaque à agenda cultural.

2.5 Avaliações e alguns resultados gerados pelos grupos participantes do II FSM

A seguir, apresentamos uma breve síntese de três avaliações realizadas por grupos distintos que participaram do II FSM. Eles revelam, como um grão de areia frente a um mar imenso, o universo de temas e problemas apresentados e debatidos no encontro.

2.5.1 Resoluções do Seminário Mundial pelo Direito à Cidade – Contra a Desigualdade e a Discriminação[6].

O "Seminário Mundial pelo Direito à Cidade – Contra a Desigualdade e a Discriminação" objetivou:

---

6. Entidades patrocinadoras: Internacionais: HIC (Habitat International Coalition), Selvip (Secretaria Latinoamericana de la Vivienda Popular), Irglus (International Research Group on Law and Urban Space), PGU (Programa de Gestão Urbana da

Estabelecer um processo amplo e democrático visando a elaboração de uma Carta Mundial dos Direitos Humanos na Cidade. A principal decisão do seminário foi de constituir um amplo processo de articulação e discussão em nossos países sobre a necessidade e o significado de termos uma Carta Mundial de Direitos Humanos na cidade com o foco central no Direito à Cidade com Justiça Social e que consiga expressar um marco referencial teórico e político resultante das experiências, vivências e lutas sociais nas cidades voltadas a combater a desigualdade social e a discriminação. Esta articulação e discussão deve ser feita até o próximo Fórum Social Mundial que será realizado no início de 2003 novamente na cidade de Porto Alegre (Doc. de Avaliação do Seminário).

ONU), Cohre (Centre on Housing Rights and Evictions), UN/Habitat (United Nations Human Settlements Programme), Rede Latino-americana de Megacidades, Comissão de Huairou, Rede Mulher e Habitat/Lac, Rede Mundial de Artistas em Aliança, Instituto de Investigación de la Vivienda y Habitat de la Universidad Nacional de Córdoba, Argentina. Nacionais: Frente Nacional de Prefeitos, Fórum Nacional da Reforma Urbana (Fase, Fenae, Fisenge, Polis, Federação Nacional dos Arquitetos e Urbanistas, União Nacional por Moradia Popular, Central dos Movimentos Populares, Movimento Nacional de Luta pela Moradia), Sehab/RS (Secretaria Especial da Habitação/RS, Conam (Confederação Nacional de Associações de Moradores), IAB (Instituto dos Arquitetos do Brasil), Fórum Permanente dos Movimentos e Entidades de Portadores de Deficiência, Fenea (Federação Nacional dos Estudantes de Arquitetura e Urbanismo do Brasil), Confea (Conselho Federal de Arquitetura, Engenharia e Agronomia), Ibase, Plataforma Brasileira de Direitos Humanos, Econômicos, Sociais e Culturais, Abea (Associação Brasileira de Ensino de Arquitetura), Comissão de Desenvolvimento Urbano e Interior da Câmara Federal, Frente Nacional de Saneamento, Fórum Nacional de Participação Popular, AGB (Associação dos Geógrafos Brasileiros), Anpur (Associação Nacional de Pós-graduação em Planejamento Urbano e Regional), ANTP (Associação Nacional dos Transportes Públicos), CNPL (Confederação Nacional dos Profissionais Liberais), SECP/RS (Secretaria Estadual da Coordenação e do Planejamento/RS), Demhab (Departamento Municipal de Habitação de Porto Alegre), FIC (Fórum Intermunicipal de Cultura).

2.5.2 Balanço e perspectivas das políticas sociais no cenário mundial atual[7].

O Seminário Balanço e Perspectivas das Políticas Sociais no Cenário Mundial Atual, promovido por 33 organizações internacionais e nacionais comprometidas com a garantia dos *direitos universais* e de uma *cidadania global*, reuniu 1.000 pessoas nos dias 1º e 2 de fevereiro de 2002 em Porto Alegre, durante o II Fórum Social Mundial e formulou a seguinte *agenda mundial das políticas sociais:*

> Todos somos desafiados a tornar pública e fazer acontecer as ações propostas nesta Agenda, construindo um *outro mundo*, onde é *possível* ser *solidário* e *feliz.*
>
> 1. Articulação e fortalecimento das lutas mundiais pela *paz* – fruto do respeito pela dignidade humana e da cidadania plena – visando romper com o sofrimento humano de exclusão e eliminar todo o tipo de conflitos e mecanismos destruidores da *vida*, como: guerras, produção e comercialização de armamentos, fome, todas as formas de discriminação: raciais, étnicas, religiosas, de gênero, por orientação sexual, de nacionalidade, exploração do meio ambiente causadora do desequilíbrio do ecossistema e da mutilação da vida (minas terrestres, poluição da água e dos mananciais hídricos, queimadas,

---

7. Organização: ABEPSS/RS (Associação Brasileira de Ensino e Pesquisa em Serviço Social/RS); Abong (Associação Brasileira de Organizações Não Governamentais); Amencar (Associação de Apoio à Criança e ao Adolescente); Caritas Internacional, Caritas Brasileira – Regional Rio Grande do Sul, Cecam (Centro Cooperativado de Assistência ao Menor), CFESS (Conselho Federal de Serviço Social), Federação Internacional dos Trabalhadores de Serviço Social, Fórum Nacional dos Direitos da Criança e do Adolescente, Fórum Nacional da Assistência Social, Franciscan Internacional, Fundação Maurído Sirotsky Sobrinho, Inesc (Instituto de Estudos Socioeconômicos), Misereor (Alemanha), Movimento Nacional de Meninos e Meninas de Rua e outras organizações. Painéis: I) Balanço e perspectivas sobre a garantia legal e a (desregulamentação da gestão, controle e financiamento das políticas sociais no contexto mundial; Painelistas: Boaventura de Sousa Santos (Portugal), Aldaisa Sposati (Brasil) e um representante da África; II) Balanço e perspectivas sobre o protagonismo do Estado, do mercado e da sociedade civil na (des)construção das políticas sociais no cenário mundial; Painelistas: Alain Lipietz (França), Maria da Glória Gohn (Brasil), Hélio Mattar (Brasil).

desmatamentos...), precarização das relações de trabalho, exploração da mão de obra e desregulamentação dos direitos trabalhistas, toda e qualquer forma de trabalho infantil, por roubar da criança seus espaços legítimos de educação e convivência familiar e comunitária, narcotráfico e crime organizado, todas as formas de violência, exploração e exclusão existentes contra os mais diferentes grupos humanos, desrespeito às culturas locais e nacionais e ao direito de ser diferente, participação de crianças e adolescentes em atividades bélicas, campos de refugiados, práticas de rapto de crianças e adolescentes, sequestros em geral e exploração sexual e comercial para o sexo-turismo e pornografia em geral.

2. Compromisso com a construção de um projeto ético-político mundial, que coloque a *economia* a serviço da *vida*, lutando pelo compromisso ético da não mercantilização da vida, pela auditoria da dívida externa e interna e pelo não pagamento da dívida externa, mediante um plano de investimentos em políticas sociais voltadas para a erradicação da fome e da miséria sob o controle popular e construção da dignidade humana, pela implantação da taxa *tobin* sobre as transações financeiras internacionais, pelo direito à indenização social dos países vítimas dos erros dos agentes financeiros multinacionais, como os advindos do Consenso de Washington, pela criação de fóruns e/ou redes mundiais da sociedade civil organizada para o controle do cumprimento dos acordos internacionais (convenções, tratados...), pela criação de mecanismos de sanção contra dirigentes e governantes que negligenciem a aplicação do orçamento aprovado por organismos de participação popular, pelo fortalecimento dos canais de participação popular já existentes e criação de novos espaços institucionais participativos, pelo desenvolvimento de valores éticos que colaborem na construção de uma cultura política cidadã, pela formação de redes capazes de difundir experiências locais de avanços dos direitos sociais, como possibilidades de consolidação nacional e mundial da cidadania social, pela construção de uma Rede Mundial de Defesa e Garantia dos Direitos da Criança e do Adolescente, pelo desenvolvimento de um novo modelo de produção e distribuição de riquezas, que garanta

a todos um padrão de dignidade e inclusão, pela judicialização dos direitos sociais, pela criação de políticas econômicas específicas de geração de emprego e renda.

3. Luta pela implementação de *políticas sociais públicas* que sejam asseguradas universalmente como direitos do cidadão, redistribuindo a riqueza socialmente produzida, financiadas com recursos que transfiram renda do capital para o trabalho, sendo implementadas pelo Estado, desnaturalizem a miséria humana, enfatizando a responsabilidade do Estado na garantia dos Direitos Sociais, reconheçam o direito legítimo e universal de uma vida digna e a possibilidade de criação e articulação de novos direitos, viabilizem a promoção, proteção e desenvolvimento da vida humana com a satisfação dos direitos sociais básicos no cotidiano, atendam as particularidades do contexto social local e as especificidades da subjetividade (etnia, gênero, idade, condições físicas e mentais...), superem a focalização, a fragmentação e setorização e constituam-se na perspectiva da universalização, intersetorialidade e da atenção integral, rompam com todas as formas de tutela, priorizando a participação dos usuários, viabilizem as demandas populares, com participação da sociedade civil organizada na sua deliberação e controle sobre a totalidade de recursos, iniciativas e padrões de serviços, respondam pela diversidade das condições de vida, sem adotar o caráter compensatório e residual, produzam uma regulação de parcerias que seja afiançadora de direitos e cidadania a todos.

2.5.3 Esboço de uma comparação: FSM 2001 e 2002

Iniciamos pela cobertura dada pela mídia nacional. No primeiro Fórum, o estilo de abordagem foi de um certo descaso, tratando-se inicialmente o FSM como um fato menor. Quando se observou que o evento atraiu mais de 1.000 jornalistas de diferentes partes do mundo, e que o próprio George Soros dialogou com representantes do fórum, a mídia nacional tentou correr atrás do prejuízo, em termos de ter perdido manchetes, mas já era tarde. O que se viu publicado foi muito "pobre" comparado com o que de fato ocorreu lá. Após o evento, por vários dias, tanto participantes do fórum como políticos, até os jornalistas formadores de opinião, todos escreveram comentando o evento.

O II Fórum realizou-se numa conjuntura política completamente diferente. O clima pós-atentados 11 de setembro, a guerra no Afeganistão e a crise na Argentina deslocaram o eixo das discussões no plano internacional. Internamente, o clima pré-eleitoral brasileiro de 2002 e os problemas na área da segurança pública, inclusive com a morte do prefeito de Santo André, Celso Daniel, pertencente ao PT, às vésperas do fórum, deram ao evento outra conotação. Os organizadores do II FSM se esforçaram para que ele tivesse um caráter propositivo, que apresentasse um avanço em relação ao rol de atividades e debates fragmentados do ano anterior. Procurou-se centrar o foco no debate de propostas, não se restringir a críticas, e criar um clima de tolerância, respeito à diversidade cultural, e defesa da paz no mundo para que "outro mundo fosse possível", *slogan* e refrão explorados exaustivamente em faixas, cartazes, CDs preparados para o evento, propaganda veiculada pela TV Educativa do Rio Grande do Sul, que deu ampla cobertura aos dois eventos transmitindo suas principais sessões ao vivo, assim como a parte cultural noturna, além de fazer sinopses de vários debates e inúmeras entrevistas com "as estrelas" presentes. A não participação de organizações relacionadas a lutas armadas gerou até conflitos durante o fórum, como nos revela o "Comunicado" que reproduzimos abaixo[8].

---

8. "O Comitê Organizador tomou conhecimento às 14 horas de hoje (01/02), através de jornalistas, de uma coletiva de imprensa convocada pelas Farc, na sala 501 do prédio 11, às 17 horas. Localizamos no programa distribuído que neste local haveria uma oficina organizada pela Associação de Docentes da Universidade Federal do Rio Grande do Sul, intitulada 'É possível a paz na Colômbia?' Procuramos a diretoria da ADUFRGS que confirmou o convite às Farc. O Comitê Organizador ponderou com a ADUFRGS que a carta de princípios do FSM não permite a participação de organizações armadas. Em resposta, a associação argumentou que as Farc não estavam credenciadas e sim convidadas por ela para um debate sobre as posições em conflito na Colômbia. Manifestamos o nosso desacordo com o convite realizado para as Farc, bem como desautorizamos a coletiva de imprensa. A ADUFRGS manteve o convite e se comprometeu a demover as Farc de realizar a conferência de imprensa. O Comitê Organizador lamenta a atitude da diretoria da ADUFRGS".

Carlos Tibúrcio, da Attac (uma das oito entidades que compõem o comitê organizador do fórum), afirmou que as questões levantadas neste encontro tomaram outro rumo. "Enquanto a primeira edição funcionou para romper com o pensamento único, a segunda dirigiu-se a uma faceta cruel desse pensamento: a política de guerra de Washington" (Boletim do Vereador Nabil Bonduki sobre a avaliação realizada do II FSM por um grupo de participantes do encontro).

A mídia nacional paulista cobriu o evento em 2002 destacando dois pontos: o diferente e o inusitado – de forma muitas vezes depreciativa (não diferindo neste ponto em relação ao tom dado em 2001); e de forma comparativa ao que ocorria em Nova York. A mídia destacou que, no Fórum Econômico em Nova York, temas sociais como a pobreza, e a necessidade da retomada do crescimento econômico, foram os eixos predominantes dos debates. Ocorreu no FEM/NY até críticas à globalização corporativa (que só beneficiaria as grandes corporações). Em síntese: a pobreza e a miséria no mundo, a necessidade de justiça global para que se obtenha a segurança global, a intolerância, e o antiamericanismo foram assuntos tratados na reunião. "Precisamos enfrentar a pobreza, precisamos enfrentar o desespero, precisamos enfrentar a desesperança", disse Colin Powell, segundo relato de Clóvis Rossi, enviado da *Folha de S. Paulo* para cobrir o FEM/2002 (*Folha de S. Paulo*, 02/02/02, A6).

***

Um ponto comum na mídia nacional na cobertura do Fórum Social, tanto em 2001 como em 2002, foi a associação do evento como uma manifestação da oposição. O tom eleitoral dado por alguns participantes em 2002 foi criticado não apenas por articulistas dos jornais, mas feito também por alguns convidados estrangeiros dando origem à manchete de 1ª página na *Folha de S. Paulo* de 04/02/02: "Tom eleitoral do evento é criticado". Pesquisadores da academia, como A. Touraine, também citaram a questão político-eleitoral. Touraine considerou que o II FSM foi perdendo destaque na mídia, em comparação com o fórum que ocorria simultaneamente em Nova York, porque este último acolheu temas sociais, mas ele agregou também a hipótese: "Talvez porque o Fórum de Porto Alegre, por sua própria natureza, tenha sido um lugar mais de protesto do que de apresentação de propostas, mas também – embora isso seja um aspecto secundário – porque tenha sido utilizado por políticos ou políticas de diversos países" (TOURAINE, 2002. Caderno Mais, 10/03/02, Folha de S. Paulo).

Avaliações positivas na mídia surgiram de setores tidos como tradicionais, como o jornal porto-alegrense, *Zero Hora,* articulado à Rede Globo naquela cidade. Em sua edição de 04/02/02 fez, em seu editorial, uma comparação entre o I e o II FSM. Ao comentar as declarações da Sra. Mary Robinson, ex-presidente da Irlanda e comissária da ONU, destacou: "A globalização a ser combatida parece melhor identificada. É aquela que gera desemprego, miséria e destruição do meio ambiente. E a globalização a ser conquistada também ganhou um adjetivo: globalização ética [...]. É este o resultado mais positivo deste encontro que reúne milhares de opositores do liberalismo na capital gaúcha. Embora ainda esteja devendo propostas concretas de novas políticas que transformem as boas intenções em resultado prático, o Fórum Social Mundial substituiu a pirotecnia dos protestos inconsequentes por um debate melhor direcionado, voltado para a paz e para o progresso sem exclusão" (*Zero Hora,* PA, 04/02/02, p. 16).

Ao final do II FSM, poucas reportagens foram publicadas na mídia analisando o fórum. As poucas que surgiram, da parte de profissionais da mídia, foi para cobrar a falta de resultados e propostas: "Não se avançou do protesto entrincheirado, ou mesmo obsoleto, ao esboço efetivo da alternativa" (CÂNDIDO MENDES, *Folha de S. Paulo*, 07/02/02, p. A3). Augusto Boal discordou de afirmações como a de Cândido e apresentou três teses que ele sistematizou a partir da apresentação de 15 grupos de

Teatro do Oprimido (três do MST, cinco do Teatro Legislativo do Rio de Janeiro, dois do OP/ Santo André, e mais cinco de outras cidades brasileiras. As teses são: 1) A dívida externa deve ser paga, mas seu valor não pode ultrapassar o valor da própria dívida contraída (e o Brasil "já pagou sete vezes o que tomou emprestado. Até quando deve durar a sangria?"); 2) Direitos adquiridos podem ser perdidos quando se prova que são ilegítimos; 3) O ser humano procede o lucro, e não o seu contrário (BOAL, A. "Três teses de Porto Alegre". *Folha de S. Paulo*, 22/02/02, p. A3).

Os próprios organizadores do II FSM e seus participantes pouco escreveram na mídia impressa imediatamente após a conclusão do evento, exceto Emir Sader, que informou que o fórum será a partir de agora dirigido por um conselho internacional e destacou que continuará com seu caráter de elaborar propostas alternativas à ordem econômica neoliberal e à política belicista. "A polarização essencial se desloca, assim, daquela entre 'sociedade civil' e Estado, de origem liberal, para a que opõe esfera pública ao domínio do mercado. As propostas alternativas incorporam a democratização do Estado, a socialização da política e do poder [...]. Para enfrentar esse desafio, temos que ser capazes de convocar o que de melhor o movimento de resistência à globalização neoliberal produziu, o que o pensamento crítico e os movimentos sociais e políticos geraram, para permitir que o projeto de globalização alternativa possa se nutrir da força intelectual, moral e histórica que permita construir um mundo pós-neoliberal objetivo do humanismo no novo século" (SADER, E. "Porto Alegre e o pós-neoliberalismo". *Folha de S. Paulo*, 15/02/02, p. A3). É interessante registrar que o artigo de Sader acabou suscitando um debate com um dos formadores de opinião, com direito a réplicas e respostas (cf. *Folha de S. Paulo,* Clóvis Rossi, 16/02/02, p. A2); e Emir Sader e Clóvis Rossi na Coluna do Leitor (19/02/02, p. A3). Talvez a semana do carnaval brasileiro, logo em seguida à semana do fórum, e a turbulência na área da segurança tenham contribuído para o esvaziamento do debate.

No Fórum de 2001, solicitou-se às entidades participantes para trazerem uma pedra (gravado o nome da organização), para criar um mosaico emblemático e impactante. De fato, a ideia foi um sucesso. Foi filmada e fotografada por todos que lá passavam, e quem não trouxe a pedra tinha a oportunidade de adquiri-la no próprio FSM, gravando-a com os inúmeros artistas/artesãos que lá estavam. As pedras foram colocadas, após o término do fórum, num lugar público da cidade de Porto Alegre, expostas para visitação. Em 2002 este ritual se repetiu para os novos participantes, mas as pedras já iam para o local de visitação. Em 2002 foi destacada a doação de livros para a formação de uma biblioteca. Mas este fato não produziu o mesmo impacto simbólico que as pedras de 2001.

Há um ponto de consenso entre os participantes: o II Fórum foi, além de mais amplo e melhor organizado, muito menos fragmentado do que o primeiro. Mas as diferenças entre as organizações e movimentos, assim como entre as tendências da esquerda, centro-esquerda e liberais propriamente ditos ficaram bem mais evidentes. O pluralismo não encobriu as marcas, ou os *frames* de cada um. Ao contrário, evidenciou suas contradições. Contardo Calligaris, no texto "Entre POA e NY: mal-entendidos e um grito de guerra", captou com bastante acuidade essas contradições. Diz ele: "A sociedade ideal para a nova esquerda seria, provavelmente, um mundo de artesãos independentes e de pequenos proprietários rurais, livres e alérgicos a qualquer forma de poder central. É um sonho distante do gosto da esquerda tradicional por Estado e partido" (*Folha de S. Paulo,* 14/02/02, p. E8). No mesmo jornal, Otávio Frias Filho (02/02/02, A2), Plínio Fraga (06/02/02, p. A12) e Marcelo Coelho (20/02/02, p. E8), em formas e exemplos distintos, também destacaram as contradições. Talvez isso seja uma pista para nos explicar por que cobrou-se, tanto da parte dos organizadores (ao recomendarem que as sessões tivessem caráter propositivos) como da parte dos articulistas da mídia (antes, durante e após o II FSM), para que ele desse "respostas" e não só diagnósticos. Na realidade, o que a mídia esperava e passou a cobrar eram propostas concretas, soluções, sob a forma de um receituário que cure ou minore os malefícios da globalização capitalista. O que esperam muitos militantes que têm se engajado tanto no movimento antiglobalização, como no Fórum Social Mundial, é que se desenvolva uma nova utopia, que aponte caminhos sem repetir os modelos da esquerda tradicional no século XX. Essa nova utopia está sendo construída, as contradições entre os grupos do FSM travam um embate surdo em torno de seus pontos centrais, e certamente não será um único modelo formatado todo corretinho que surgirá desta profusão de ideias, práticas, inovações, experimentações, pois diferentes projetos políticos sustentam os grupos em contenda.

Segundo Tarrow (1994), as pessoas constroem as ações coletivas por meio de repertórios conhecidos, de disputas, e pela criação de inovações ao redor de suas margens. Em suas bases há redes sociais e símbolos culturais por meio dos quais as relações sociais estão organizadas. O coletivo dos participantes de Porto Alegre articulou um repertório de protestos que une demandas dos setores excluídos de várias camadas sociais, ao contrastar as políticas que geram desemprego, violência e a miséria crescente nos grandes centros urbanos, assim como a degradação do meio ambiente, o desgaste físico e estresse contínuos que as novas rotinas do trabalho globalizado estão impondo, além da insegurança e falta de horizontes quanto ao destino futuro dos indivíduos em seus empregos e em suas condições de vida em geral.

Portanto, para nós a grande inovação do Fórum Social foi a reafirmação de uma rede social global de cidadãos que demanda um novo mundo do trabalho, onde haja emprego para todos e todos não sejam "escravos" do ritmo de trabalhos alucinantes.

O fórum demostrou, principalmente para as ONGs, que é necessário fazer política, no bom sentido, e que a política é legítima. Quando o I Fórum Social iniciou-se, o jornal *Le Monde Diplomatique* publicou a seguinte manchete: "O século XXI começa dia 25 de janeiro em Porto Alegre". Immanuel Wallerstein, professor de Yale (EUA), em entrevista à *Folha de S. Paulo*, quando indagado se Porto Alegre significava uma nova era para os movimentos sociais, como disse um ministro francês durante o II FSM, declarou: "Concordo, mas não creio que se trate do começo. Este ocorreu em 1968. Mas Porto Alegre marca um ponto de inflexão, pois mostra que uma nova forma de estratégia pode existir: uma estrutura descentralizada de múltiplas organizações locais, nacionais e internacionais com inúmeros objetivos imediatos, trabalhando em conjunto em busca de um objetivo comum, que é o de limitar os estragos da ofensiva neoliberal. Essas organizações demonstram muita tolerância em relação a ideias divergentes para se concentrarem no objetivo prioritário. Mesmo assim, há perigos. As forças de Porto Alegre têm de encontrar um modo de ir além das ações defensivas, embora elas sejam necessárias. Devem apresentar um programa concreto de transformação mundial. Isso não será fácil, mas não é impossível" (*Folha de S. Paulo*, "Wallerstein desfaz a 'ilusão do progresso'", 10/02/02, p. A7).

Um dos documentos elaborados pela ONG Fase sobre o I FSM destacou:

> As diferentes redes e movimentos sociais apontaram para o fato que os direitos humanos passam a ter, neste início de século, um sentido prático de resistência e formulação de alternativas. Para fortalecermos a plataforma e as demandas dos movimentos sociais urbanos e da sociedade civil, para unificarmos as redes e fóruns sociais de sujeitos coletivos, para aprofundarmos a luta pela democratização e reforma urbana, propomos o debate nacional sobre a proposta de uma Carta Brasileira dos Direitos Humanos na Cidade (Fase, *Por uma Carta dos Direitos Humanos na Cidade*, 2001).

E essa tarefa foi cumprida em 2002, não apenas pelo grupo dos temas urbanos como pelo das políticas sociais, conforme exemplificação acima.

O que pedem os manifestantes de Porto Alegre e dos demais movimentos contra as atuais políticas globalizantes só é possível por meio de políticas diferentes das vigentes. O que eles querem é algo mais do que demandas localizadas, bens ou equipamentos sociais coletivos, ou direitos sociais igualitários, a exemplo dos movimentos sociais predominantes nos anos de 1970 e 1980. O que eles querem é o direito de interferirem nos destinos de seus países, de preservarem as culturas locais, de não serem invadidos por produtos que desorganizam seus mercados e geram desemprego. Os militantes querem o direito à preservação da vida humana no planeta e que homens e mulheres, de qualquer raça, etnia, idade ou nacionalidade, possam conviver de forma harmoniosa com o meio ambiente que os cercam, com o planeta que habitam, e com o universo a que pertencem. Portanto, o discurso dos manifestantes de Seattle, Praga, Washington, Porto Alegre e tantos outros que ainda virão tem sentido e substância.

Talvez, as palavras de Saramago, que ecoaram ao final do II FSM, via uma carta, seja um dos principais caminhos a seguirmos[9].

Para 2003 está agendado um novo FSM em Porto Alegre. Ainda que não viesse a ocorrer novos FSMs, sua existência já estaria justificada: tornou-se uma referência no plano internacional e colocou no centro dos debates econômicos mundiais a questão social.

---

9. "Que fazer? Da literatura à ecologia, da fuga das galáxias ao efeito de estufa, do tratamento do lixo às congestões do tráfego, tudo se discute neste nosso mundo. Mas o sistema democrático, como se de um dado definitivamente adquirido se tratasse, intocável por natureza até à consumação dos séculos, esse não se discute. Ora, se não estou em erro, se não sou incapaz de somar dois e dois, então, entre tantas outras discussões necessárias ou indispensáveis, é urgente, antes que se nos torne demasiado tarde, promover um debate mundial sobre a democracia e as causas da sua decadência, sobre a intervenção dos cidadãos na vida política e social, sobre as relações entre os Estados e o poder econômico e financeiro mundial, sobre aquilo que afirma e aquilo que nega a democracia, sobre o direito à felicidade e a uma existência digna, sobre as misérias e as esperanças da humanidade, ou, falando com menos retórica, dos simples seres humanos que a compõem, um por um e todos juntos. Não há pior engano do que o daquele que a si mesmo se engana. E assim é que estamos vivendo." *José Saramago.*

Parte II

Movimentos sociais no campo

4
Arqueologia dos movimentos sociais

*Eurípedes da Cunha Dias**

Apresentação

Este texto objetiva fazer um resgate de alguns movimentos sociais populares que ocorreram na História do Brasil, destacando a Cabanagem/Pará (1835-1840), a fim de caracterizar alguns elementos de similaridades e de diferenças no modo de fazer política, em relação aos chamados novos movimentos sociais que entraram na agenda política do país nas últimas décadas do século XX. Para esse estudo, utilizaremos algumas contribuições de Foucault.

Tomar a abordagem arqueológica de Foucault tem aqui dois propósitos: buscar apoio num modo de pensar que viabilize a liberação e a expansão de significações que ainda estão encobertas e reprimidas no campo discursivo dos movimentos sociais; superar o que esta prática discursiva tem de indutora do esquecimento ou do obscurecimento da pertinência histórica e política dos movimentos aqui chamados de *populares tradicionais*. Estes incluem variada gama de conflitos dispersos em diferentes "espaços temporais" – lutas indígenas, quilombolas, guerras santas, banditismo –, e que se manifestam desde a che-

* Professora do Departamento de Antropologia/UnB.

gada dos colonizadores portugueses. Sucedeu que estes *movimentos populares tradicionais* passaram por dupla exclusão: primeiramente, pelas análises marxistas e, posteriormente, pela teoria dos movimentos sociais, intimamente articulada à redefinição da teoria da democracia e da sociedade civil.

A exclusão pela teoria marxista deu-se por não apresentarem os identificadores de antagonismo de classe centrados no conflito entre capital e trabalho: aos movimentos religiosos, indígenas, quilombolas e todas rebeliões populares, que ao longo dos períodos colonial, monárquico e republicano formaram-se por complexa composição étnica, social e ideológica – índios, negros, caboclos, agricultores, escravos, ferreiros, alfaiates, sapateiros, carpinteiros, barqueiros, liberais, elites políticas –, faltariam atributos de polarização de classes antagônicas, tal como requerida pela perspectiva ortodoxa do marxismo. A partir da década de 1970, a teoria dos movimentos sociais desaloja a teoria marxista da posição de principal quadro de referência para o estudo dos conflitos sociais, mas, por sua vez, também deixa de fora os *movimentos populares tradicionais*.

1 Novos e tradicionais movimentos sociais: formas diferenciadas de ação política

Tomados, os novos movimentos sociais, em sua acepção mais ampla, nada induz a essa exclusão. É o que se pode concluir da formulação de Epstein:

> Para nós, movimentos sociais são esforços coletivos de pessoas social e politicamente subordinadas para mudar suas condições de vida (1995: VII).

Não seria difícil aplicar essa concepção a *movimentos populares tradicionais*, como, por exemplo, a Sabinada (Bahia, entre 1837-1838) e a Balaiada (Maranhão, entre 1838-1841). Em ambas há "esforços coletivos" de "subordinados" na "busca de objetivos". Mas o que se pretende aqui não é a integração dos movimentos populares tradicionais àquele campo discursivo, por meio de características gerais, mas por sua reinscrição, à maneira dos novos movimentos sociais, como sujeitos diferenciados na forma de fazer política.

A condição de sujeito de um novo modo de fazer política dos novos movimentos sociais tem seu maior emblema na "afirmação positiva" de suas atividades transparentes centradas na "ação coletiva". A visibilidade das ações está presente em diferentes espaços: em pequenos grupos descentralizados que escolhem o próprio modo de participação nos espaços públicos e coletivos; em espaços globais, na mídia, e, portanto, fazendo parte de nossas experiências do dia a dia. Faz-se presente também no elenco de temas para discussões no campo acadêmico e, o que é mais relevante, orientando políticas em agendas públicas (cf. STURGEON, 1995: 35). Ao lado dessa onipresença, a eficácia política dos movimentos requer não somente que os seus ativistas mudem o próprio modo de pensar, mas que o êxito da prática resulte da mudança do modo de pensar das pessoas (como se dá, por exemplo, nas relações de gênero e nos movimentos ambientalistas).

Esses sujeitos do novo modo de fazer política surgem ao longo das mudanças que se dão na década de 1960, nos Estados Unidos e Europa. Têm como ponto de partida os movimentos estudantis, protestos antiguerra no Vietnã, a liberação feminina, aos quais se seguiram outros mais recentes, como ambientalismo, antimilitarismo e liberdade sexual. Sturgeon (1995: 35) denomina-os "movimentos não violentos de ação direta" e que envolvem principalmente a desobediência civil, nome dado à combinação de práticas políticas extrainstitucionais e de estruturas organizacionais que têm sido usadas regularmente desde a metade de 1970. Segundo Epstein (1995: IX), esses movimentos transformaram não somente a realidade como redirecionaram a teoria social. Em outras palavras, marcam o surgimento de um novo campo empírico aberto a novas indagações teóricas.

Os marcadores desse campo discursivo de onde se buscam alternativas, teóricas e práticas, para a redução de conflitos culturais – diferença/cidadania, cultura/sociedade civil estão dispersos numa ampla gama de problematizações. Apenas para sinalizar essa dispersão pode-se citar trabalhos de John Rawls (1993), Jean L. Cohen e Andrew Arato (1997) e Will Kymlicka (1996).

O trabalho de John Rawls, *O liberalismo político* (1993), é ilustrativo do *status* teórico que o tema do liberalismo vai ocupar nas discussões sobre o pluralismo cultural no interior de uma sociedade. O autor fala diretamente à própria sociedade, aos que com ele se endoculturaram nas práticas civis da sociedade ocidental (que, segundo ele, contrapõe-se às sociedades hierárquicas, não regidas pela liberdade e igualdade), estimulado pela busca de sustentação teórica para reduzir, internamente, tensões entre valores culturais conflitantes. Ou, como diz,

> O problema do liberalismo político consiste em saber como é possível existir, ao longo do tempo, uma sociedade estável e justa de cidadãos livres e iguais, profundamente divididos por doutrinas religiosas, filosóficas e morais razoáveis. Trata-se de um problema de justiça política, não de um problema sobre o bem supremo (p. 33).

Busca uma concepção política de justiça, não metafísica, que seja equivalente a equidade (igualdade política e igualdade de oportunidades). Seu conteúdo se forma da *cultura política* distinta da "cultura de fundo" da sociedade civil, ou seja, a cultura social: enquanto a *cultura social* compõe-se de doutrinas abrangentes, isto é, religiosas, filosóficas e morais, a *cultura política pública* se distingue pelo *consenso sobreposto*, que se baseia na redução de conflitos entre valores. Segundo Henrique Cardim,

> A tolerância religiosa é bem um exemplo do que se deve entender pelo que Rawls chama de consenso sobreposto (CARDIM, 1993: 8).

Assim, o autor esboça um quadro social democrático como garantia de uma sociedade igualitária pela qual se dará a resolução de conflitos étnicos e culturais.

O texto de Jean L. Cohen e Andrew Arato, *Sociedade civil e teoria política* (1997), é apresentado como contribuição à teoria democrática que se sustenta na discussão e definição da sociedade civil. Diferentemente de Rawls, que tem como público a sociedade americana, os autores pretendem que as discussões sobre a sociedade civil tenham efeitos teóricos e práticos na modelagem de novas políticas culturais em diferentes tipos de sociedades. Mas do mesmo modo que Rawls, consideram a relevância da ação de atores coletivos, incluindo a desobediência civil, sem no entanto colocar sob ameaça as instituições democráticas e liberais.

Propõem uma definição operacional de sociedade civil:

> Nós entendemos sociedade civil como uma esfera da interação social entre economia e o estado, composta acima de tudo das esferas íntimas (especialmente a família), a esfera de associações (especialmente associações voluntárias), movimentos sociais, e formas de comunicação pública (p. IX).

Para eles, a sociedade civil assim definida, mais que todos os modelos pluralistas e funcionalistas, deixa de ser vista, não passivamente como rede de instituições, mas sim ativamente, como contexto e produto de atores coletivos autoconstituídos. Os autores veem a sociedade civil como uma nova utopia depois do desencanto weberiano. A dimensão utópica se expressa na ação coletiva dos movimentos sociais, manifestações sinalizadoras da democracia radical. Com o conceito dinâmico de sociedade civil que se realizaria na sua atuação crítica tanto na esfera do estado quanto na econômica, os autores consideram que se comporia um quadro de referência para se abordar as "novas" e velhas formas de ação coletiva.

Will Kymlicka (1996), diferentemente das reformulações teórico-conceituais de John Rawls e Jean Cohen e Andrew Arato, teoriza principalmente viabilidades políticas para os conflitos e as questões que a diversidade cultural desencadeia. Enquanto os outros contribuem criticamente com a matriz teórica constituída pelo liberalismo e a sociedade civil, Kymlicka volta-se em cheio para a "teoria prática", qualificativo que se confere à ação-teoria coletiva dos movimentos sociais. A partir do reconhecimento da ubiquidade e da heterogeneidade dos conflitos culturais, seu enfoque aplica-se a todo tipo de sociedade. Ao buscar viabilidades políticas para questões étnicas, por exemplo, o autor vai além do reconhecimento da diversidade e enfrenta os dilemas dos "usos da diversidade", oportuna expressão cunhada por Clifford Geertz (2000: 68-86).

Entre as questões postas pela diversidade, o autor ressalta: direitos linguísticos, a autonomia regional, a representação política, o currículo educativo, as reivindicações territoriais, a política de imigração e naturalização, as escolhas de símbolos nacionais (como a eleição do hino nacional) e as definições de festividades oficiais em estados poliétnicos. Entre os conceitos que propõe para viabilizar políticas de implementação de cidadania multiculturais estão: a distinção entre Estados multinacionais (como o Canadá, com três grupos nacionais distintos: ingleses, franceses e aborígenes), Estados poliétnicos (como os Estados Unidos, que incorporaram diferentes etnias pela imigração), cidadania multicultural, direitos de minorias étnicas, direito diferenciado.

Resumindo, pode-se sugerir que as propostas teóricas que recobrem as ações transformadoras dos novos movimentos sociais convergem para dois pontos. Em primeiro lugar, revertem valores postos pela cultura política para se deixarem mediar por políticas culturais, cujos significados são recriados por aqueles que as implementam. Em segundo lugar, afirmam que:

> O campo de ação dos novos movimentos sociais se faz num espaço de política não institucional, cuja existência não está prevista nas doutrinas nem na prática da democracia liberal e do Estado do bem-estar social (GOHN, 1997: 166-167).

Os dois qualificativos – recriação de valores culturais, espaços não institucionalizados como *locus* de ação – expandem a

> sociedade civil como espaço moral entre governantes e governados (SKINNER, 1998: 26).

Os *movimentos populares tradicionais* também se inscrevem nessa dinâmica, mas, como se verá, a expansão promovida por eles toma outra direção.

2 Os movimentos populares tradicionais no Brasil

Embora tenham sido objeto de diferentes tipos de estudo e classificações, os movimentos populares tradicionais, excluídos desta nova prática discursiva, ficam imobilizados no passado e têm reduzida a pertinência de sua participação na modelagem política da sociedade brasileira[1]. Para superar essa ruptura e integrar os *movimentos populares tradicionais* na discussão sobre a sociedade civil e a conquista dos direitos, o primeiro auxílio vem de Foucault.

Historicizados, enquanto passado, pela arqueologia foucaultiana, os movimentos populares tradicionais podem ser conduzidos ao presente de dois modos[2]. Primeiro porque as suas práticas

---

1. A relevância desses movimentos para a compreensão da sociedade civil e da cidadania brasileira foi ressaltada por Maria da Glória Gohn (1995) em *História dos movimentos e lutas sociais: a construção da cidadania dos brasileiros.* No mapeamento que faz dos movimentos sociais, só nas últimas décadas do período colonial e até a Monarquia, a autora registra, excluídas as quilombolas e indígenas, 72 lutas que se enquadrariam na categoria de movimentos populares tradicionais.

2. Esta abordagem vai na direção oposta à de Hobsbawm (1970), que propõe a divisão dos movimentos sociais em etapas "primitivas" e/ou "arcaicas" e modernas, e que considera os atores das etapas primitivas como "pessoas pré-políticas" (p. 13).

remetem a significações que são familiares ao campo epistêmico, o *solo* e o *húmus* discursivo de onde nascem as questões postas pelos movimentos sociais. Em segundo lugar, a abordagem arqueológica, pela ruptura com a leitura linear, contínua e unitária das coisas, permite igualmente a articulação de múltiplas temporalidades em contextos onde se modelam diferentes subjetividades. O passado deixa, portanto, de ser o objeto cuja compreensão se justifica pela distância e pelo recuo para se tornar uma região cultural que integra contextos de construção de subjetividades atualizadoras de práticas políticas que se renovam.

Como afirma Ternes (1995),

> Trata-se de interrogar o *solo* a partir do qual determinadas coisas podem ser ditas, certos discursos podem aflorar, e outros não. Trata-se, enfim, de se situar nessa região mais fundamental, nesse *humus,* lembrando novamente Canguilhem, que alimenta o modo de pensar de uma cultura numa determinada época (p. 47).

Seguindo esta abordagem, compreende-se que o *humus* discursivo de onde nascem as reflexões sobre os movimentos sociais não seria o Liberalismo, esse fenômeno do mundo ocidental, nem o Estado Liberal, nem a Sociedade Civil em si mesmos, mas as práticas políticas e de poder; os modos de atualização da liberdade e da igualdade na sociedade civil e as conquistas da realização da cidadania e dos direitos individuais.

Um diagnóstico mais profundo poderá concluir que *movimentos populares tradicionais* de ocorrência histórica remota, e que se manifestam em contextos marcados por forte violência, atuaram sempre em espaços políticos não institucionais, e suas reivindicações situam-se muitas vezes no limiar de práticas por direitos diferenciados, ou seja, *aqueles não inscritos originalmente numa teoria liberal dos direitos individuais.* Muitos deles se organizavam segundo formas e normas de sociedades preexistentes, não coloniais, cujas regras de liberdade e igualdade não se articulam a partir do indivíduo – como na organização da sociedade civil (cf. BOBBIO, 1992: 4), mas em conformidade com normas e formas de liberdade e igualdade do bem comum das sociedades tradicionais.

Para compreender os *movimentos populares tradicionais* nessa perspectiva é necessário romper com a linearidade e compará-los independentemente da periodização histórica em que foram inscritos. Não podem, também, ser apreendidos somente pela ótica das relações políticas e de poder institucionais. Tomando-as como referência, pode-se, por exemplo, considerar que a Independência do Brasil não teve repercussão popular, já que não houve manifestações populares que resultassem diretamente na Independência. No entanto, o atual Estado do Pará, desde antes de 1822 até 1840, foi palco de fortes conflitos e sangrentas lutas entre grupos, sejam contrários, sejam a favor da Monarquia. O paralelismo entre os movimentos populares e os processos institucionais, e que reconhece nestes a linha hegemônica dos acontecimentos, pode, de um lado, conduzir à objetivação dos movimentos populares como meras respostas a estímulos das instâncias institucionais; e, de outro, negar-lhes a autonomia própria de sua dinâmica social. Os *movimentos populares tradicionais* não podem ser vistos somente numa correlação de agregação com o poder institucional. Da mesma forma como se aborda hoje os novos movimentos sociais, devem ser vistos em si mesmos, em recortes sincrônicos, mas que extrapolem o período histórico em que ocorreram para que as suas peculiaridades se articulem ao vasto compêndio temático dos movimentos sociais.

Melucci (2001), ao falar dos movimentos sociais alerta que:

> A nossa dificuldade está, portanto, no ter que colocar no interior de categorias, hoje obsoletas, fenômenos que não podem ser interpretados por meio delas (p. 10).

Deslocando um pouco essa assertividade, pode-se considerar que o que resta a fazer para a integração dos *movimentos po-*

pulares tradicionais no campo discursivo partilhado pelos movimentos sociais contemporâneos é buscar categorias mais dinâmicas que podem, por um lado, identificar no passado relações de poder bloqueadoras de liberdades, mas que, mesmo assim, não se tornaram obsoletas, pois ainda são apropriadas pelas relações sociais do presente; por outro lado, identificar em estruturas, ainda submersas, experiências libertárias que devem ser resgatadas.

Para essa abordagem, o auxílio poderá vir mais uma vez de Foucault através de algumas de suas considerações sobre as relações que estabelece entre liberdade e poder, sem, no entanto, nos deixar levar exclusivamente pela ideia de poder relacional, pois nos casos estudados este tipo de poder está acoplado às relações centralizadas de poder.

É na *Microfísica do poder* (1982: 243-276) que o autor relaciona estilos arquitetônicos, espaços fechados e organizações sociais "sem saída para fora" (hospitais, prisões, hospícios) com a proposta de poder relacional. A essa trama entre espaços fechados e disciplinares dá o nome de "dispositivo de poder". Mas onde a noção de poder mais se adequa aos casos estudados é no texto *The subject and power* (FOUCAULT [1982] apud MAIA, 1995: 90).

> O poder é exercido somente sobre sujeitos livres e apenas enquanto são livres. Por isto, nós nos referimos a sujeitos individuais ou coletivos que são encarados sob um leque de possibilidades no qual inúmeros modos de agir, inúmeras reações e comportamentos podem ser obtidos. Onde os fatores determinantes saturam o todo não há relações de poder; escravidão não é relação de poder, pois o homem está acorrentado (neste caso, fala-se numa relação). Consequentemente, não há confrontação face a face entre poder e liberdade, que são mutuamente excludentes (a liberdade desapareceria sempre que o poder fosse exercido), mas uma interação muito complicada. Nessa relação, a liberdade pode apare-

> cer como condição para o exercício de poder (simultaneamente sua precondição, já que a liberdade precisa existir para o "poder" ser exercício e, também, seu apoio uma vez que, sem a possibilidade de resistência, o poder seria equivalente à determinação física) (FOUCAULT: 1982: 221, apud MAIA, 1995: 90).

A Cabanagem, o caso a ser discutido aqui, é ilustrativo de experiências históricas de conquista da liberdade para disputas de poder. Diferentes segmentos da população fortemente dominados e reprimidos, ao longo do enfrentamento de elites políticas e econômicas, conquistam liberdades expressas em idiossincrasias culturais e históricas. Essas conquistas, mantidas temporariamente ou de forma permanente, ainda hoje refletem na construção do espírito amazônico[3].

3 A Cabanagem: um exemplo dentre os movimentos populares do passado

Treze anos após a Independência do Brasil, entre 1835-1840, eclode a revolta da Cabanagem na Província do Grão-Pará, quando esta ainda era formada pelos atuais estados do Pará, Amazonas e Maranhão[4]. A Província do Grão-Pará foi administrada diretamente por Portugal, fato que sempre alimentou os interesses políticos mais divergentes: os que a desejavam separada do Brasil, outros que a queriam independente e aqueles que se aliaram à vitoriosa, mas longa luta para mantê-la integrada à Monarquia brasileira. Significativa dessa acirrada disputa política é o fato de que, até janeiro de 1823, o Norte ignorou a Independência. Segundo Chiavenato (1984),

---

3. Para uma revisão da historiografia sobre a Cabanagem, cf. Luís Balkar Sá Peixoto Pinheiro, *Visões da Cabanagem* (Manaus: Valer, 2001).

4. O Estado do Grão-Pará e do Maranhão (com centro de decisão em Belém) é criado em 31 de junho de 1751.

> oito meses depois do grito do Ipiranga, no Grão-Pará condenava-se à morte brasileiros que lutaram para libertar o Brasil de Portugal (p. 22).

Ilustrativo também é o fato de ter havido dois atos de proclamação da Independência: 28 de maio de 1823, dia da Adesão Revolucionária à Independência e dia 15 de agosto de, 1823, o dia compulsório da Independência, quando foi oficialmente proclamada a Adesão do Pará ao Brasil (cf. DI PAOLO, 1990: 105-106).

A elite portuguesa recalcitrante à Independência tinha o controle total da economia: produção, comércio, navegação, e dos cargos administrativos e políticos. O movimento da Cabanagem tem início quando a elite nacional se organiza a fim de deslocar a elite portuguesa das principais posições de poder econômico e político. Descontentamentos vindos de diferentes segmentos mobilizam uma massa bastante diversificada: grupos étnicos diferenciados (indígenas e negros) e integrantes de vários extratos da estrutura social e política, portadores portanto de diferentes ideologias e visões cosmogônicas. O rico e variado ideário que Di Paolo (1990) chamou, ora de "hegemonia cultural cabana" (p. 326), ora "cultura política dos cabanos" (p. 327) reivindicava autonomia política para os nacionais e direitos de cidadão no lugar da relação de submissão que os monarquistas portugueses ainda impunham e a libertação dos escravos, ideia promovida por alguns líderes cabanos.

A definição que Gramsci formula de hegemonia de "estado prático", a partir da qual, segundo o autor, os movimentos se organizam como direção política organizada, exprime bem a diáspora de ideias cabanas.

> Essa direção não era "abstrata", ela não consistia em repetir mecanicamente fórmulas científicas ou teóricas, ela não confundia a política da ação real com a pesquisa particular do teórico; ela se aplicava a homens reais, que haviam sido formados em condições determinadas, com sentimentos, modos de ver, fragmentos de concepção de

mundo determinados, que resultavam de combinações "espontâneas" de um certo meio de produção material com a "fortuita" aglomeração de elementos sociais díspares. Esse elemento de "espontaneidade" *não foi negligenciado menos ainda desprezado: ele foi educado* (GRAMSCI [1930] apud BUCI-GLUCKSMANN, 1980: 201).

Na Cabanagem, essa hegemonia em "estado prático" evolui em duas direções: para um *projeto político cabano* (DI PAOLO, 1990: 369), "um confronto cultural e um confronto armado entre as forças políticas da Amazônia" (p. 377) e que representou um projeto político para a nação proposto pelas lideranças políticas nacionais; o projeto dos "homens das cabanas" (expressão usada por Di Paolo), os quais compunham o principal contingente de combatentes: pequenos artesãos, caboclos, tapuios, negros escravos e índios que se integram à Cabanagem como estratégia de conquista da liberdade. Interessa aqui acompanhar mais de perto as contribuições deste segmento à construção da cidadania de grupos etnicamente diferenciados.

Os "homens das cabanas" aderem à rebelião, mas agregando-lhe anseios próprios, como o de liberdade, e objetivos específicos, como o de reorganizar modos tradicionais de vida, ambos estranhos às causas que serviram ao seu chamamento. Privados de formas de liberdade, imanentes aos seus modos culturais de ser, o ingresso na Cabanagem tornou-se para muitos a condição para a sua reconquista: como os índios que aderem ao movimento para se livrarem da integração compulsória, ou os negros que abandonam as batalhas para se organizarem em mocambos ou se integrarem àqueles já existentes na região. Às vezes estes eram descobertos, destruídos e sua população retornava à condição de escravos nas propriedades; quando não descobertos, a liberdade podia ser duradoura e nestes casos estavam incluídos os índios, já que também se refugiavam nos mocambos. Assim, para os "homens da cabana", a Cabanagem foi um reduto de liberdade e por conseguinte de posições de poder.

Rosa Acevedo e Edna Castro, no elucidativo trabalho *Negros do Trombetas, guardiães de matas e rios* (1998), mostram como os quilombos, protegidos pela "cortina de floresta" (p. 78), foram endereço certo para muitos que viram na Cabanagem um caminho para a liberdade. Confirmam a existência de quilombos no Baixo Amazonas em fins do século XVIII e acrescentam:

> A organização social alternativa do quilombo, reunindo índios, escravos, foros, nasce com uma visibilidade negativa por representar limites e afrontas à sociedade escravista. O quilombo foi positivamente o limite do regime de propriedade e de produção escravista, como também do domínio social e político articulado a essa formação (p. 67).

Segundo Pinheiro (1999), os negros são introduzidos no Grão-Pará em meados do século XVIII. Sobre o modo de adesão à Cabanagem, Pinheiro também faz considerações que atestam a autonomia da decisão na busca da liberdade. Questiona a interpretação historiográfica que tende a considerar a rebeldia negra apenas como resposta à propaganda liberal contrária à escravidão e afirma a autonomia da rebeldia negra "consciente e direcionada":

> O que se precisa abandonar é a ideia que ainda perpassa todo o discurso historiográfico, insistindo em tomar o propagandismo liberal como detonador de uma demanda – por exemplo, a liberdade para os negros – que até então não existia. A consequência imediata dessa abordagem é retirar o papel ativo que as populações negras e escravas do Grão-Pará efetivamente exerceram e, assim, transformá-las em meras coadjuvantes de um processo maior de tensões que as transcendia (p. 153).

Acentua a anterioridade dessa experiência ao lembrar que "já traziam consigo da África uma noção própria de liberdade..." (p. 154). Estendendo essa ideia do autor, de concepção própria de liberdade, pode-se acrescentar que, se as promessas de libertação feitas por alguns líderes pudessem ser cumpridas após uma possível vitória dos cabanos, não haveria nenhuma equivalência entre essa liberdade de ex-escravos e as condições de liberdade já postas em prática nos mocambos. Estes, territorializados segundo práticas consuetudinárias, se tornam espaços de poder para cultivarem os produtos necessários à subsistência e estruturarem a vida social conforme os seus padrões culturais. Dali saíam em segredo com seus barcos para comercializar produtos agrícolas com os lojistas portugueses igualmente interessados em manter o segredo e não entregá-los de volta aos proprietários (PINHEIRO, 1999: 157). Nessa rede de comércio com os lojistas, os mocambeiros construíam, ainda que clandestinamente, o direito a poucos reservado de praticar o escambo, primeiro passo para uma possível integração no mercado formal.

Quanto aos índios, a partir dos primeiros contatos, ficaria registrada na historiografia a forte resistência com que Mura e Munduruku receberam os colonizadores portugueses. Segundo Francisco Jorge dos Santos (1995),

> Desde o início da década de 1770, tem-se notícias das atividades guerreiras dos índios Munduruku. Dessa época, até meados da década de 1790, essa nação indígena inquietou não só os colonizadores europeus, mas também seus vizinhos indígenas Parintintin, Maué, Arara, Mura e outros durante os seus movimentos expansionistas (p. 15).

Do alto do Rio Tapajós penetraram e dominaram vasta região do Grão-Pará e Rio Negro. Dos Mura,

> Sabe-se que eles, os quais faziam das canoas suas casas, que, como "índios de corso", abrangeram uma grande área da ação que se estendia da fronteira do Peru até o Trombetas, que se destacaram nas tentativas de rechaçar a invasão dos civilizados em seus territórios, sendo aguerridos, destemidos e usando táticas especiais de ataque, que, enfim, com suas incursões e "correrias" atemorizaram a Amazônia do século XVIII... (ENGRÁCIA DE OLIVEIRA, 1986: 1).

Mas as semelhanças entre ambos terminam nessa parceria de rebeldia inicial contra os colonizadores. Os Munduruku formalizam um tratado de paz em 1790 e tornam-se para sempre aliados dos portugueses nos enfrentamentos aos outros grupos e, por conseguinte, aos cabanos. Os Mura, considerados "incivilizáveis", foram atacados por sucessivas e sangrentas "expedições punitivas," sofreram muitas perdas por epidemias, sarampo e bexiga, e contra eles foi pedida uma devassa, solicitação de "guerra justa" entre 1737-1738, mas que não foi concedida, o que não impediu que sofressem três expedições punitivas. Sem condições de enfrentarem a forte pressão, procuraram paz em 1786, mas não suspendem totalmente as investidas contra os portugueses (ENGRÁCIA DE OLIVEIRA, 1986).

Em 1835 voltam à luta ao se aliarem aos cabanos. Muras e tapuios fazem da Cabanagem um espaço de reconstrução da liberdade perdida e de apropriação de poder. No caso dos Mura, o desejo por liberdade custou muitas vidas e sofrimentos. Segundo Moreira Neto (1988), o ponto culminante dos conflitos entre os Mura e a sociedade regional foi a sua participação na Cabanagem, ao lado dos rebeldes (cf. 110). Diz ainda que:

> Provavelmente nenhum dos grandes grupos indígenas da Amazónia pagou preço maior que os Mura ao esforço contínuo de dizimá-los e de expulsá-los de suas praias e lagos tradicionais (p. 110).

A partir de 1863 os Mura deixam de ser citados nos relatórios oficiais, o que significa o não envolvimento em conflitos. É o que atesta o autor:

> A subtribo Mura, os Mura-pirahã, que eram considerados, no século XIX, como os mais arredios e agressivos membros do grupo e que permanecem, ainda hoje, monolíngues e em estado de isolamento (p. 113).

O modo como descreve os Mura, no entanto, parece indicar uma resistência que não se extinguiu, mas que apenas se expressa em linguagem diferente que cultiva obstáculos à comunicação com os brancos.

Com os *tapuios* não foi diferente. Segundo Moreira Neto (1988),

> O tapuio pode ser definido como membro de um grupo indígena que perdeu socialmente o domínio instrumental e normativo de sua cultura aborígene, substituindo-a por elementos de uma ou várias outras tradições culturais, que se misturam aos traços residuais da língua e da cultura originais (p. 79). Esse foi o grupo de participação majoritária na guerra da Cabanagem (cf. MOREIRA NETO, 1988: 61).

Das análises feitas pelo autor sobre os *tapuios*, pode-se afirmar que guiava a sua resistência o desejo de viver a liberdade enquanto valor que a diferenciava da liberdade do branco. Das notas de viagem do italiano Gaetano Osculati dizendo que *"tapuio* só trabalha para patrão forçado" (apud MOREIRA NETO, 1988: 100), entende-se não que se indispusessem a qualquer trabalho, mas ao regime de trabalho imposto pelo branco. Sendo possível falar em cidadania, o tapuia não passaria pelo direito ao emprego, mas pelo direito de não ter e não ser patrão.

A resistência ao modo de vida europeu e colonizador foi o principal motivo de sua adesão à Cabanagem. Essa resistência e busca da liberdade, compartilhada entre Muras, *tapuios* e escravos negros, não se manifesta somente contra os legalistas que se opunham à Cabanagem, mas internamente como expressão mais intensa da generalização de conflitos étnicos no movimento da Cabanagem. Assim é que Eduardo Nogueira Angelim, o último presidente cabano e que era branco, reprimiu fortemente as tentativas e anseios de liberdade de cabanos (cf. PINHEIRO, 1999: 162). Estes podiam aceitar as condições de liberdade que os Munduruku aceitaram, uma liberdade condicionada aos interesses da elite, mas a liberdade que *tapuios* e Muras buscavam eram anteriores ao liberalismo posto em prática pela sociedade da época, o que só se entende pela relativização da ideia de liberdade.

Considerações finais

Pode-se concluir que os *movimentos populares tradicionais* sempre se constituíram em enfrentamentos constantes à escassez de "direitos" nas sociedades Colonial, Monárquica e Republicana. No entanto, orientando-se pela historiografia da sociedade civil, seu surgimento no Brasil é bastante recente: para Avritzer (1994: 282), dá-se "no final dos anos de 1970", e para Murilo de Carvalho (2001: 7), o momento de uma cidadania efetiva é em 1985. O primeiro, inspirado nas considerações weberianas sobre a modernidade ocidental, considera a emergência da sociedade civil a partir do arrefecimento ou extinção de formas tradicionais de relações, articulando-a ao domínio das estruturas de coordenação impessoais, ou seja, o conceito de sociedade civil aponta para formas modernas de solidariedade (cf. AVRITZER, 1994: 274-282). Murilo de Carvalho, no elucidativo paralelo que estabelece entre desenvolvimento das instituições nacionais e movimentos populares, considera o fim da ditadura, em 1985, como o momento da reconstrução da democracia brasileira, e a constituição de 1988 como a Constituição Cidadã.

Mas o modo como os *movimentos populares tradicionais* enfrentaram a dominação e a coerção de regimes políticos ao longo da nossa história pode ser traduzido como textos prematuros da nova cidadania e de direitos político e civil. As revoltas populares desses grupos tão heterogêneos não se orientavam explicitamente pela conquista de direitos liberais e individuais atualizados pelos Estados modernos. São revoltas populares de intervenção na ordem social, práticas reprimidas de participação social e política do povo no processo histórico, que podem ser consideradas reivindicações prematuras de espaços para ações sociais e expressões políticas. Pode-se falar de uma "sociedade civil subterrânea", de uma arqueologia que inscreve liberdades anteriores às do direito ocidental, e, portanto, não fazer *tabula rasa* de sentimentos e práticas libertárias imputando-as somente à liberdade liberal e ocidental. Antes que a cidadania e a sociedade civil se estabelecessem entre nós, formas subterrâneas de direito político já estavam em ebulição contra estruturas de poder e de domínio.

Referências

ACEVEDO, Rosa & CASTRO, Edna (1998). *Negros do Trombetas, guardiães de matas e rios.* Belém: Cejup.

AVRITZER, Leonardo (1994). *Sociedade civil e democratização.* Belo Horizonte: Del Rey [Leonardo Avritzer (org.)].

BOBBIO, Norberto (1992). *A era dos direitos.* Rio de Janeiro: Campus.

BUCI-GLUCKSMANN, Christinne (1980). *Gramsci e o estado.* Rio de Janeiro: Paz e Terra.

CARDIM, H. (1993). "Apresentação". In: *O liberalismo político.* São Paulo: Ática.

CHIAVENATO, Julio José (1984). *Cabanagem*: o povo no poder. São Paulo: Brasiliense.

COHEN, Jean L. & ARATO, Andrew (1997). *Civil Society and Political Theory.* Cambridge, Massachusetts, and London: MIT Press.

DAGNINO, Evelina (2000). "Cultura, cidadania e democracia: a transformação dos discursos e práticas da esquerda latino-americana". In: *Cultura e política nos movimentos sociais latino-americanos.* Belo Horizonte: Editora UFMG [Sônia E. Alvarez, Evelina Dagnino & Arturo Escobar (orgs.)].

DI PAOLO, Pasquale (1990). *Cabanagem*: a revolução popular da Amazônia. Belém: Cejup.

ENGRÁCIA DE OLIVEIRA, Adélia (1986). "Introdução". In: *Autos da devassa contra os índios Mura do Rio Madeira e nações do Rio Tocantins (1738-1739)*: facsímiles e transcrições paleográficas. Manaus: Universidade do Amazonas.

EPSTEIN, Barbara (1995). "Political Correctness and Collective Powerlessness". In: *Cultural Politcs and Social Movements*. Philadelphia: Temple University Press [Marcy Darnovsky, Barbara Epstein e Richard Flacks (orgs.)].

FOUCAULT, Michel (1982). *Microfísica do poder*. Rio de Janeiro: Graal.

GEERTZ, Clifford (2000). "Os usos da diversidade". In: *Nova luz sobre a antropologia*. Rio de Janeiro: Zahar.

GOHN, Maria da Glória (1997). *Teoria dos movimentos sociais*: paradigmas clássicos e contemporâneos. São Paulo: Loyola.

______ (1995). *História dos movimentos e lutas sociais*: a construção da cidadania dos brasileiros. São Paulo: Loyola.

HOBSBAWM, Eric J. (1970). *Rebeldes primitivos*. Rio de Janeiro: Zahar.

KYMLICKA, Will (1996). *Ciudadanía multicultural*: una teoria liberal de los derechos de las minorias. Barcelona/Buenos Aires/México: Paidós.

MAIA, Antônio C. (1995). "Michel Foucault e a teoria do poder". In: *Tempo Social,* Ver. Sociol. USP, São Paulo, 7(1-2), p. 21-29.

MELUCCI, Alberto (2001). *A invenção do presente*: movimentos sociais nas sociedades complexas. Petrópolis: Vozes.

MOREIRA NETO, Carlos de Araújo (1988). *Índios da Amazônia*: de maioria a minoria (1750-1850). Petrópolis: Vozes.

PINHEIRO, Luís Balkar Sá Peixoto (2001). *Visões da Cabanagem*. Manaus: Valer.

______ (1999). "De mocambeiro a cabano: notas sobre a presença negra na Amazônia na primeira metade do século XIX". In: *Terra das águas*. Brasília: Paralelo 15 [Núcleo de Estudos Amazônicos do Centro de Estudos Avançados Multidisciplinares da Universidade de Brasília].

RAWLS, John (1993). *O liberalismo político*. São Paulo: Ática.

SANTOS, Francisco Jorge dos (1995). "Introdução". In: *Dossiê Munduruku*: uma contribuição para a história indígena da Amazônia colonial. Manaus: Fundação Universidade do Amazonas [Boletim Informativo do Museu Amazônico].

SKINNER, Quentin (1998). *Liberdade antes do liberalismo*. São Paulo: Unesp.

STURGEON, Noel (1995). "Theorizing Movements: Direct action and Direct Theory". In: *Cultural Politcs and Social Movements*. Philadelphia: Temple University Press [Marcy Darnovsky, Barbara Epstein & Richard Flacks (orgs.)].

TERNES, José (1995). "Michel Foucault e o nascimento da modernidade". In: *Tempo Social*; Ver. Sociol. USP, São Paulo, 7(1-2), p. 21-29.

5
Subjetividade e gênero no MST: observações sobre documentos publicados entre 1979 e 2000*

*Denise Mesquita de Melo***

Apresentação

O MST surge em nosso cenário político e econômico propondo-se a lutar por mudanças sociais no país e pela construção de uma "sociedade sem exploradores e explorados" a partir da superação da propriedade privada dos meios de produção, o que considera ser a estrutura central que sustenta a constituição das relações sociais nos moldes necessários para a manutenção do modo de produção capitalista. Entretanto, tanto a análise das lutas sociais que o antecederam quanto os conflitos que emergem na própria dinâmica de seu cotidiano apontam para o fato de que a construção de tal sociedade extrapola os limites da socialização dos meios de produção. Apontam para que o empenho pela cons-

---

* Este capítulo corresponde a uma parte da pesquisa desenvolvida para a dissertação de mestrado defendida pela autora em 2001 no programa de Mestrado em Educação da Unicamp sob o título *A construção da subjetividade de mulheres assentadas pelo MST,* orientada pela Profa.- Dra. Maria da Glória Gohn.

**A Autora deste capítulo é psicóloga, mestre em Educação pela Universidade de Campinas e membro do Gemdec (Grupo de Estudos sobre Movimentos Sociais, Educação e Cidadania) da Unicamp e professora da Unicastelo.

trução do "novo" deveria contemplar o empenho pela construção do "novo" na intimidade de cada ser humano. O que implica trazer as grandes batalhas por emancipação também para a esfera do cotidiano, ampliando e modificando o conceito do que pertence à esfera da luta política. E isto, de acordo com Santos (1996), exige a revisão e a mudança do eixo dos processos de socialização, de inculcação cultural e dos modelos de desenvolvimento através da politização da vida cotidiana. Os enfrentamentos vividos em relação à organização política nas áreas de acampamentos e assentamentos conduziram o MST a atentar para estas questões e buscar maneiras de solucioná-las.

O movimento interno de elaboração de alternativas para a superação de problemas da ordem do cotidiano, envolvendo a dinâmica das relações entre militantes do MST, pode ser observado em diversos documentos elaborados para a formação de quadros. Ele é apresentado de forma sintetizada em resoluções que designam princípios políticos, comportamentos e valores que o movimento considera necessários para orientar a prática militante na construção do "homem novo", da "mulher nova", das "novas" relações de gênero e da "nova" sociedade. Entre tantos documentos publicados aos quais tivemos acesso selecionamos para nosso estudo apenas aqueles que melhor expressam o modo como o MST se posiciona frente à questão da subjetividade e à construção das novas relações sociais de gênero.

1 Documentes publicados entre 1979 e 1989

Nos documentos publicados entre 1979 e 1984, as atenções do movimento encontravam-se totalmente voltadas para a definição dos princípios políticos e dos objetivos mais imediatos para a realização da luta direta por reforma agrária. Entretanto, nos documentos que registram a transição e a segunda fase organizativa do MST (que compreende o período entre 1985 e 1989 – *Sem reforma agrária não há democracia!*), a preocupação em conciliar a vivência dos processos coletivos com a experiência privada de seus participantes já passa a ser esboçada, ainda que de forma indireta e incipiente. O livro *Construindo o caminho*, publicado em 1986, aborda, entre outros assuntos, a questão da mística, a formação de quadros para a realização do "trabalho de base", e também das primeiras resoluções aprovadas pelo MST como diretrizes para tentar solucionar o problema, surgido em seus assentamentos, relativo à participação política das mulheres na luta pela reforma agrária. A abordagem destes assuntos neste material nos interessa, pois, de certa forma, ela registra a discussão sobre o lugar da subjetividade e desnuda o problema das desigualdades de gênero que se reproduzem no seio dos processos coletivos que constituem o MST enquanto movimento social.

1.1 A questão da mística

Neste documento, a questão da mística nos chama a atenção por constituir o primeiro espaço no qual o projeto social do MST é mais diretamente relacionado com a experiência subjetiva de seus integrantes. A mística é descrita como o processo pelo qual se vivencia no presente um sentimento relativo às conquistas que ainda haverão de ser construídas historicamente mediante o processo de luta. Um sentimento que emerge como uma espécie de certeza afetiva (não indutiva, empiricamente comprovada) de que aquilo com que se sonha irá de fato se realizar, apesar da adversidade e graças ao poder de transformação das camadas populares organizadas. Entende-se que este processo se constitui como uma espécie de síntese e/ou de mediação entre: a) a compreensão cognitiva do significado abstrato do projeto social pelo qual o movimento se propõe a lutar e que pretende construir; e b) o investimento afetivo, motivacional, necessário para romper com o imobilismo e impulsionar o engajamento concreto em ações que permitam materializar tal projeto.

Contudo, o significado para a palavra "mística" no MST é bastante aberto, contendo várias acepções diferentes e complementares. Em alguns momentos, a mística aparece como *motivação para a luta*, como sentimento que motiva cada integrante do MST a participar da luta pela reforma agrária e por transformações sociais no país. Em outros momentos é tida como relativa à *sensação de pertença*, como elemento *capaz* de promover a sensação de pertencimento ao grupo, estimulando a solidariedade e colaboração mútua, intensificando a coesão e a unidade do movimento no processo de luta. Em outros momentos, ainda, diz respeito à *ampliação da abrangência da luta*, sendo entendida como processo de construção de um sentido emancipatório geral para a existência humana. Além disso, a mística pode ser tomada também com o significado de *resgate do passado*, como uma forma de celebração, reconhecimento e valorização de esforços realizados pelo movimento e por todos aqueles que lutaram por justiça social. E acaba tendo ainda um significado de *abertura para o novo*, uma vez que se compreende que a cada nova conquista se acrescentam novas contradições e novos desafios, num movimento inesgotável que coincide com a própria história humana. Colocada como indissociável da dimensão do sonho com o que há de vir, com o que se pode construir de novo a partir dos desafios postos pelo próprio sonho frente à realidade atual, a mística é constantemente associada à palavra "utopia" (o não lugar, o lugar que ainda não existe) – embora nem sempre se faça uma reflexão mais aprofundada sobre os significados destas palavras e suas implicações políticas.

De qualquer maneira, a mística é vista como um elemento fundamental no processo de construção da sociedade proposta pelo MST e como dimensão indissociável de seu próprio conceito de homem: a mística como dimensão essencial da vida humana. Comporta elementos relativos ao tema da subjetividade na medida em que trata de aspectos relacionados às emoções das pessoas e à sua forma de se posicionar na construção atual de seu próprio futuro. Contudo, se por um lado a reflexão do MST sobre esse tema toca aspectos gerais da constituição da subjetividade, já que todo ser humano constrói de algum modo um sentido para a própria existência com base nos projetos que pode vir a construir para si e para os seus, por outro a questão da emancipação é mais enfatizada do que a da singularidade, já que a mística parece ressaltar uma espécie de comunicação emocional que agrega a todos num ideal comum, por assim dizer. A dimensão essencial das contradições, dos conflitos, das diferenças entre as pessoas, não parece ser considerada um aspecto constitutivo da construção do sonho e do projeto. Não se dá destaque para a angústia, para a incerteza, o medo ou a insegurança como elementos constitutivos da vida humana. Ao contrário, estes aspectos aparecem antes como imperfeições a serem superadas e/ou substituídas pela "certeza da vitória" – que parece servir não apenas como impulso para ação política, mas talvez também como uma espécie de bálsamo para as dores que são inerentes ao agir humano.

1.2 Perfil das lideranças

Outro assunto abordado tanto no *Construindo o caminho* (1986), quanto nos *Elementos sobre uma teoria da organização no campo* (1986), é o perfil ideal de lideranças esboçado pelo MST. Ele nos chama atenção, pois se refere ao modo de ser dos militantes, à maneira de se dirigir ao outro e como se comportar diante do coletivo. Além disso, traz, implícita, uma concepção acerca de como se dá o processo de construção social das personalidades individuais. Trata-se da definição de um conjunto de características ou atributos pessoais que alguém deveria reunir ou desenvolver para poder se tornar um líder ou um quadro do MST. De acordo com o texto publicado, um líder é aquele que vai sendo reconhecido por seus pares por conseguir perceber o momento exato de agir, sendo assertivo na escolha da forma e da intensidade de cada ação. É aquele que é firme e seguro em suas posições e tem um conhecimento teórico "ajustado com sua prática". Um líder, portanto, é alguém que, além de ser aceito e possuir a confiança do grupo de que participa, sabe como coordenar um grupo e se comunicar respeitando diferentes posicionamentos, culturas e conhecimentos.

Nestes documentos perpassa uma concepção de que o "comportamento ideológico dos indivíduos consiste em um complexo de valores culturais, morais e políticos" (MST, 1986: 12) que é determinado pela função que este indivíduo desempenha dentro de um determinado processo produtivo. De acordo com esta visão, as diferentes formas de inserção possíveis para um trabalhador do campo no processo produtivo engendram correspondentes visões de mundo que condicionam o modo deste trabalhador se relacionar coletivamente. Estes documentos pretendem contribuir para a formação de um tipo de liderança para os movimentos rurais de massa que esteja atento a estas diferenças. Isto porque o MST considera que este complexo de valores – engendrado pelas diferentes formas de inserção no processo produtivo – pode favorecer o desenvolvimento de determinadas posturas que venham a comprometer o avanço da organização política no campo. Entre estas posturas, que o MST convencionou designar por "desvios ideológicos", as que foram consideradas mais prejudiciais à organização e que, portanto, devem ser constantemente combatidas e corrigidas, foram o "individualismo", o "personalismo", o "espontaneísmo", o "anarquismo", o "imobilismo", o "comodismo", o "sectarismo", o "liquidacionismo", o "aventureirismo" e a "autossuficiência".

Entendemos que estas formulações constituem estereótipos adotados pelo MST na ânsia de construir recursos para garantir unidade e disciplina ao coletivo de militantes à medida que o movimento começa a crescer e a assumir dimensões nacionais.

Estereótipos que indicam uma concepção de construção social da personalidade ainda pautada numa noção de causalidade unidirecional – ressaltando das relações sociais de classe apenas o aspecto da inserção física no processo produtivo como determinante direto da inserção política e ideológica e excluindo outras dimensões e contradições da vida social.

Nesse sentido, o modo pelo qual se apresentam tanto as características tidas como positivas quanto aquelas tidas como indesejáveis implica, ao mesmo tempo: um modelo, um ideal de comportamento e personalidade a ser alcançado; e uma concepção sobre como se formam as personalidades individuais. Este modelo a ser alcançado é composto, de um modo geral, pela superação dos chamados "vícios" ou "desvios" tidos como próprios das formas individuais de inserção no processo produtivo, e pela incorporação de traços de personalidade próprios das formas coletivas de inserção no processo produtivo. E a concepção sobre a formação de personalidade que perpassa a ideia de construção desse modelo implica dois aspectos essenciais: a ideia de derivação direta da subjetividade a partir da inserção física no processo produtivo; e a ideia de que o ser humano é formado pela acumulação quantitativa e consistente, internamente coerente, de vários modos de agir e/ou traços de personalidade que configuram seu "perfil" ou seu "comportamento".

Novamente a dinâmica contraditória do conjunto das relações sociais nas quais as pessoas vão se posicionando é deslocada, priorizando-se a ideia de uma personalidade internamente coesa, sem conflitos, sem contradições internas à sua própria constituição. O indivíduo é visto como uma soma de características que podem ser acrescentadas ou retiradas conforme a situação, e seu "perfil" pode ser traçado elencando séries observáveis e mensuráveis de comportamentos desejáveis ou indesejáveis. As contradições são consideradas apenas no caso em que são sinônimos de incoerência e logo tomadas como desvios.

Observamos que a própria ideia de "desvio" implica a noção de que exista um padrão mais ou menos estável que se deveria esperar como normal ou correto para determinado sujeito de acordo com seu lugar na sociedade. E percebemos que uma visão simplista de como se constituem as pessoas e de como elas atuam pode facilmente ser tomada como forma de legitimar restrições pautadas no "desvio" de alguém com relação à norma determinada como correta. Esta possibilidade nos alarma, pois, como se sabe, formas gravíssimas de exclusão, presentes em diferentes momentos da história da humanidade, recorreram a rótulos e estereótipos diversos, sem necessariamente explicitar suas reais motivações ou justamente valendo-se deles para dissimulá-las.

1.3 Desigualdades de gênero

Outro assunto abordado nos documentos datados da primeira década de atuação do MST é relativo ao problema da transformação das relações entre as pessoas na construção do seu projeto social. Uma das resoluções discutidas e aprovadas no I Encontro Nacional dos Assentados pelo MST, publicado no *Construindo o caminho* (1986), diz respeito ao *Posicionamento sobre a questão da mulher assentada*. A existência desta resolução denota que o processo de construção de novas formas de relações humanas nas comunidades assentadas pelo movimento começava a ser colocado na pauta dos problemas a serem enfrentados e solucionados no MST. Já em 1986, dois anos após sua fundação oficial, as mulheres trabalhadoras rurais assentadas pelo MST denunciam falhas na busca de superação de antigos preconceitos que impedem a conquista de relações igualitárias – mesmo nas áreas influenciadas pelo movimento. E procuram formular alternativas que, sendo assumidas pela organização como um todo, poderiam auxiliar a contornar o problema.

A resolução apresentada como um primeiro passo na direção de tornar orgânicos os esforços para a construção das transformações necessárias para a dissolução das desigualdades de gênero que se reproduziam no interior do MST foi apresentada na forma dos oito itens que seguem:

> 1) Que os homens apoiem as iniciativas e organizações das mulheres dando força para suas esposas participarem.
>
> 2) Que os assentamentos onde as mulheres já têm organização ajudem a organização das mulheres nos outros assentamentos onde não há esta organização e está difícil de começar em nível de estado.
>
> 3) Que as mulheres assentadas incentivem e animem as mulheres dos sem-terra a participar das reuniões e do movimento.
>
> 4) Que nas comissões dos assentamentos, nas estaduais e nacionais, as mulheres conquistem o seu espaço, sem paternalismos, mas sendo-lhe reconhecida a capacidade de ocupar tais cargos.
>
> 5) Que as secretarias estaduais dos sem-terra enviem material para ajudar a organização das mulheres no assentamento.
>
> 6) Que as mulheres participem da renovação sindical, exijam o direito de associação e conquistem seu espaço nas diretorias.
>
> 7) Que as mulheres votem nos candidatos que são mulheres e/ou trabalhadores que defendem os direitos dos assentados e das mulheres na Constituinte.
>
> 8) Que, ao tirar documentos que conste a profissão, as mulheres possam colocar que são trabalhadoras rurais, não aceitando a simples denominação "doméstica" ou "do lar". Isto é importante agora, na troca de título de eleitor e em caso de núpcias, na certidão de casamento, entre outros (MST, 1986: 175).

A leitura destes itens permite observar que a resolução apresentada não apenas revela desigualdades de gênero nos processos de participação e representação no interior do movimento, como também mostra-se ainda impregnada de marcas de uma resistência à participação autônoma das mulheres do MST. De um modo geral, estas formulações indicam uma constatação de que até aquele momento vinham predominando uma série de restrições com relação ao lugar das mulheres no movimento: se é preciso chamar atenção dos homens para que "apoiem as iniciativas das mulheres" é porque não o vinham fazendo; se é preciso solicitar dos assentamentos já organizados para que "ajudem na organização das mulheres nos outros assentamentos" é porque não vinham ajudando; enfim, cada afirmação dessas está intimamente relacionada com uma negação.

Além desse nível de análise, caberia destacar momentos em que a própria formulação das reivindicações postas na resolução acaba sendo ainda permeada de significados que repõem posições sexistas. No item "1", por exemplo, notamos que a ênfase na necessidade de que os homens "apoiem as iniciativas das mulheres" pode indicar que se concebe de antemão uma relação de tutela das mulheres pelos homens, a tal ponto que as iniciativas com relação à emancipação delas devessem partir deles. De modo que talvez a palavra "apoiar" possa estar no lugar de "permitir". Outra posição delicada se coloca no item "4", onde se procura incentivar que "as mulheres conquistem seu espaço, sem paternalismos, mas sendo-lhe reconhecida a capacidade de ocupar tais cargos". Fica explícita a noção de que seria de se esperar que os espaços das mulheres nas instâncias de poder normalmente só seriam garantidos em função de uma atitude paternalista, isto é, como uma concessão masculina, a tal ponto que é preciso destacar que a conquista desses espaços deve se dar em função da "capacidade" das mulheres, algo que não é enfatizado no caso dos homens que ocupam os mesmos espaços. Além disso, absolutiza-se a noção de "capacidade" como algo que um homem ou uma mulher podem ter ou não, e não como algo que se constrói no curso de relações que não são sempre igualitárias.

Entretanto, consideramos que este passo representou um marco na organização política das mulheres do MST e uma conquista no processo de transformação do padrão de distribuição de poder na relação homem/mulher na dinâmica da luta pela reforma agrária. Isto porque, tencionando o campo das relações internas, o coletivo de mulheres conseguiu trazer à tona que antigas formas de dominação constituintes da cultura da população brasileira continuavam se reproduzindo no cotidiano dos assentamentos. Revelaram que a forma como as relações de gênero são organizadas dificulta a participação política das mulheres trabalhadoras rurais no processo orgânico de lutas, inclusive negando-lhes o direito de associar-se às unidades produtivas e entidades representativas. Revelaram importantes limitações nas formas de organização política das mulheres. Fundamentalmente, a participação organizada das mulheres neste encontro desvelou que até aquele momento o MST, enquanto organização política, não havia tomado o problema das desigualdades de gênero como uma questão a ser assumida organicamente e que devesse ser tratada como uma responsabilidade de todos os militantes comprometidos em promover transformações sociais no país.

Pouco tempo mais tarde, em 1989, seria publicado o Caderno de Formação *Normas gerais do MST* apresentando resoluções que denotam a permanência e os efeitos dos embates internos relativos à transformação das relações entre homens e mulheres, como aspecto importante a ser considerado na construção do "novo" proposta pelo projeto social do MST. Prova disto é a publicação da resolução referente à *Articulação das mulheres no MST* apresentada no oitavo capítulo do livro da seguinte maneira:

1) O Movimento dos Trabalhadores Rurais Sem Terra deve estimular a participação das mulheres em todos os níveis de atuação, em todas as instâncias de poder e de representatividade.

2) Devemos combater todo e qualquer tipo de discriminação às mulheres, em todas as atividades do movimento, e lutar contra o machismo e todas as manifestações que impeçam a igualdade de direitos e condições das mulheres trabalhadoras.

3) Deve-se estimular a organização de comissões de mulheres dentro do movimento dos sem-terra, nos assentamentos e nos acampamentos, para discussão dos seus problemas específicos.

4) Em nível municipal, estadual e nacional devemos estimular para que as mulheres sem-terra participem ativamente das comissões e demais formas de organização do Movimento de Mulheres Trabalhadoras Rurais – MMTR, que se articula dentro do movimento sindical, juntando todas as mulheres trabalhadoras rurais, independente da categoria, unificando sem-terra, pequenas proprietárias, posseiras, assalariadas etc.

5) Em nível nacional deve funcionar uma equipe de mulheres do Movimento dos Trabalhadores Rurais Sem Terra. A equipe tem como função: a) pensar, propor e planejar políticas específicas para a organização das mulheres sem-terra, e apresentá-las à direção e coordenação nacional; b) a equipe de mulheres em nível nacional deve ser formada por indicação da direção nacional, como um organismo específico de trabalho dentro dessas instâncias; c) será de responsabilidade da equipe nacional a elaboração de materiais, publicações e assessorias, para subsidiar e orientar o trabalho específico com mulheres do movimento (MST, 1989).

Nesta resolução, a responsabilidade pela busca de soluções para o problema das discriminações de gênero começam a deixar de ser uma luta reservada ao coletivo de mulheres organizadas do MST e passam a ser assumidas publicamente como um princípio político que deve tornar-se norteador nos processos de lutas do MST como todo. Vale pontuar que a partir do momento da aprovação destas resoluções, o MST passou a dedicar, em todas as suas ações massivas de formação e em suas publicações, uma atenção mais apurada no que toca à participação política das mulheres no seio do projeto social que vem tentando desenhar. Esta conquista do coletivo organizado de mulheres do MST promoveu um aprimoramento da discussão das bandeiras emancipatórias que o movimento se propõe. Trata-se de medidas ainda limitadas a resoluções a serem seguidas e ainda não são inteiramente voltadas para a construção de novas relações de gênero, mas para resolver o problema da discriminação contra a participação da mulher nos processos coletivos do MST. Mas representam uma abertura do movimento na incorporação de bandeiras essenciais para a construção de uma nova sociedade, anteriormente defendidas pelos chamados "novos movimentos sociais"[1], ainda que não diretamente ligadas à questão da reforma agrária.

2 Documentos publicados entre 1990 e 2000

Mobilizado por pressões internas promovidas pelo coletivo de mulheres, por avaliações dos processos correntes por organização política nas áreas de assentamento e por interferências externas vindas de movimentos parceiros, o MST empenha-se, desde o início da década de 1990, em definir as características do "homem novo" e da "mulher nova" que pretendem ajudar a construir. Um grande número de documentos que esboçam uma concepção constituída neste sentido foi publicado neste momento. De modo geral, todos referem-se a princípios, sentimentos e valores considerados necessários para a construção de

1. Cf. Boaventura S. Santos (1996).

todas as relações que conformem o ideal de uma nova sociedade, enquanto alguns abordam questões direcionadas mais especificamente a uma nova forma de relação entre homens e mulheres. Entretanto, selecionaremos apenas trechos de alguns deles que consideramos ilustrar suficientemente bem os contornos que a noção de "homem novo" e "mulher nova" foi assumindo no decorrer destes anos.

2.1 Discussão geral sobre valores

Com a publicação do caderno de formação *A mulher nas diferentes sociedades*, o MST conclui que, frente às dificuldades cada vez maiores que a classe trabalhadora vinha enfrentando, a única alternativa capaz de reverter a condição de vida dos menos favorecidos é

> lutar para a implantação de uma nova ordem social que organize essa sociedade de uma nova maneira, diferente da anterior onde cada pessoa tenha assegurados os seus direitos de cidadania, onde todos tenham assegurada a satisfação de suas necessidades básicas de educação, moradia, trabalho, saúde e lazer. Onde sua dignidade como pessoa seja resgatada. Onde o interesse comum prevaleça sobre o individual. Onde o produto do trabalho seja revertido para o bem de todos. Onde a discriminação de qualquer espécie seja abolida, seja ela de cor, de idade, de categoria profissional ou de sexo (MST, 1990: 16).

A reformulação dos objetivos gerais do MST, ocorrida em 1995 durante o III Congresso Nacional, refletiu não só amadurecimento como a incorporação de novos elementos na discussão do tipo de reforma agrária almejada pelos trabalhadores, bem como da nova sociedade e dos parâmetros éticos considerados necessários para sua implementação. Nos novos objetivos gerais foram incluídos a discussão sobre justiça social, igualdade de direitos, luta por trabalho e "justa distribuição da terra, da renda e das riquezas" para todos (cf. FERNANDES, 1996: 81; MST, 1995: 29). Também foram incluídas discussões sobre a função social da terra, a necessidade do combate a todas as formas de discriminação social e a busca pela construção de relações igualitárias entre homens e mulheres, bem como a difusão de valores socialistas e humanistas como norteadores das novas relações entre as pessoas. Posteriormente, esta afirmação sobre difusão de valores *humanistas e socialistas* foi melhor definida, e no caderno *Princípios da educação no MST* o movimento explica:

> Estamos chamando de valores humanistas e socialistas aqueles valores que colocam no centro dos processos de transformação a pessoa humana e sua liberdade, mas não como indivíduo isolado e sim como ser de relações sociais que visem a produção e a apropriação coletiva dos bens materiais e espirituais da humanidade, a justiça na distribuição destes bens e a igualdade na participação de todos nestes processos (MST, 1996: 9).

O mesmo documento ainda elenca uma série de conceitos relativos a posturas e sentimentos considerados como pertinentes ao posicionamento do humano como valor primordial nos processos de transformação social:

> O sentimento de indignação diante de injustiças e de perda da dignidade humana;
>
> O companheirismo e a solidariedade nas relações entre as pessoas e os coletivos;
>
> A busca da igualdade combinada com o respeito às diferenças culturais, de raça, de gênero, de estilos pessoais;
>
> A direção coletiva e a divisão de tarefas;
>
> O planejamento;
>
> O respeito à autoridade que se constitui através de relações democráticas e de coerência ética;
>
> A disciplina no trabalho, no estudo e na militância;
>
> A força/dureza necessária à militância política mesclada com a ternura e o respeito nas relações interpessoais;

A construção do ser coletivo combinada com a possibilidade da livre emergência das questões da subjetividade de cada pessoa;

A sensibilidade ecológica e o respeito ao meio ambiente;

O exercício permanente da crítica e da autocrítica;

A busca da formação em todas as dimensões e de superação dos próprios limites;

O espírito de sacrifício diante das tarefas necessárias à causa da transformação e do bem-estar coletivo;

A criatividade e o espírito de iniciativa diante dos problemas;

O cultivo do amor pelas causas do povo e o sentimento internacionalista das lutas sociais;

O cultivo do afeto entre as pessoas;

A capacidade permanente de sonhar e de partilhar o sonho e as ações de realizá-lo (MST, 1996: 9)[2].

No conjunto dessas proposições, dois aspectos pertinentes à reflexão que vimos procurando fazer devem ser ressaltados. Por um lado, nota-se uma diferença qualitativa entre a postura assumida nesse momento quanto à questão das diferenças individuais e da dimensão da singularidade como aspecto próprio à constituição da subjetividade e aquela postura que permeava a discussão sobre os ditos "vícios e desvios ideológicos". O texto fala, por exemplo, de "respeito às diferenças culturais, de raça, de gênero, de estilos pessoais" e da "possibilidade da livre emergência das questões da subjetividade de cada pessoa", dando a entender que a diferença poderia deixar de ser tratada apenas como desvio com relação ao padrão esperado e passar a ter um lugar de afirmação legítima. Ainda que, de qualquer

---

2. Desde 1998 estas posturas e sentimentos foram sintetizados e passaram a ser designados enquanto 10 principais "valores" orientadores da prática militante: solidariedade, indignação, compromisso, coerência, esperança, confiança, alegria, ternura, mística em forma de utopia e respeito pelos símbolos da luta (cf. Cartilha n. 9 da Consulta Popular: "Valores de uma prática militante").

modo, a ideia de "combinação" entre as necessidades sociais e as individuais continuem repondo uma certa noção de convívio pacífico entre instâncias ontologicamente distintas e não exatamente uma relação contraditória de interconstituição.

Parece manter-se uma "dialética" ainda um tanto formal, de justaposição entre opostos dicotômicos e não de formação recíproca entre eles, de modo que a tensão inerente a esta relação interconstitutiva parece ser apagada. É o que se observa no caso da interpretação dada às palavras de Guevara com relação à "ternura" e à "dureza" do revolucionário. O movimento parece interpretar que os sentimentos aparentemente opostos podem conviver coerentemente numa mesma pessoa desde que relacionados a esferas da realidade supostamente distintas: a ternura seria própria das "relações interpessoais", e a dureza seria própria da "militância política". Assim, os contrários convivem harmonicamente num mesmo sujeito sem gerar a tensão interna que seria própria a uma concepção dialética, e as diferentes esferas da realidade são concebidas em termos de uma diferenciação um tanto formal: como se a militância política não envolvesse necessariamente relações entre pessoas e como se as relações entre pessoas fossem algo mais do campo doméstico do que do campo das preocupações propriamente políticas.

Por outro lado, ainda em comparação com a referida concepção sobre os "vícios e desvios ideológicos", também há uma diferença de conteúdo quanto ao que se prioriza em termos da formação da militância e da formação humana de um modo geral. Ao invés de pautar-se prioritariamente no que as pessoas não devem ser, o texto enfatiza atitudes e sentimentos que as pessoas devem (ou deveriam) ter. De qualquer modo, entendemos que ainda haja questões a serem levantadas quanto à concepção que se tem aí sobre o que venha a ser um "valor", e sobre os possíveis riscos que ela corre de manter ou de pretender construir uma normatização moral, mais ou menos rígida. É próprio do humano criar valores e é impossível não fazê-lo, mas sendo criação humana são uma produção histórica e, portanto, relativa a contextos culturais específicos e sujeitos a contradições e transformações. Dentro desta concepção, as diferentes práticas sociais humanas são as que geram diferentes valores de um modo geral e, dentre eles, diferentes valores morais.

Na proposta do MST surge uma contradição inevitável para qualquer movimento, ou qualquer ator social que busque organizar intencionalmente suas ações educativas, que é a de que pretende-se partir de um conjunto de "valores" já mais ou menos estabelecidos para a modificação das práticas sociais daqueles que compõem suas fileiras e, em última análise, de toda a sociedade. De certo modo, estes valores são ainda abstratos na medida em que a sociedade em que vivemos não se pauta prioritariamente neles, correndo o risco de se tornarem antes uma espécie de normatização verbal relativa a como as coisas devem ser, refletindo pouco daquilo que elas ainda realmente são. Entretanto, simplesmente reafirmar os valores que realmente predominam nas práticas presentes na sociedade atual seria abdicar do próprio engajamento nos processos de luta que buscam transformá-la.

Como consequência dessa contradição surge uma tensão inerente a qualquer discussão sobre a questão dos valores e sobre a questão da transformação social de um modo geral: aquilo que nos orienta na busca de construir o novo não pode ser ainda algo tão novo assim e traz as marcas daquilo que ainda inevitavelmente somos, enquanto não nos transformamos no que podemos vir a ser. No entanto, mais uma vez, talvez por conta das necessidades mais imediatas da luta política, estas tensões não são evidenciadas pelo discurso do movimento. E tem-se a impressão de uma visão um tanto harmônica sobre a questão dos valores, que uma vez sendo seguidos conduzirão à felicidade de todos.

Sendo assim, poderíamos nos questionar com relação ao quanto este elenco de conceitos relativos a sentimentos e posturas tidos como essenciais tem exatamente de novo e o quanto repõe de uma moral bastante tradicional como quando se destaca a necessidade do "espírito de sacrifício", ou uma visão um tanto onipotente como quando se fala da busca de formação em "todas as dimensões". No entanto, mesmo sem nos colocarmos questões da ordem das origens históricas destes conceitos sobre os sentimentos e posturas tidos como constitutivos de valores "humanistas e socialistas", é preciso reconhecer que eles são difíceis de serem construídos e mantidos no dia a dia – especialmente quando se leva em conta o fato de que o processo de organização política se "desestabiliza" na passagem do estágio de acampamento para o de assentamento. No acampamento, o sonho com a conquista da terra parece ser um elemento capaz de garantir unidade ao grupo e propiciar condições para que se construa coletivamente um sentimento de indignação contra as injustiças sociais e um sonho com uma nova sociedade e as novas relações humanas. É um momento em que o coletivo parece estar mais suscetível a atribuir um valor positivo à disciplina, ao planejamento, à direção coletiva e à divisão de tarefas como encaminhamentos necessários e essenciais para suprir as carências mais imediatas.

Entretanto, a passagem à valorização de metas mais distantes e complexas, tanto quanto das diferentes formas de envolvimento e organização necessárias para buscar alcançá-las, acaba solicitando mais do que uma coesão em torno da luta pela sobrevivência. Na perspectiva do movimento, como vimos, faz-se necessária a construção de outras posturas, como a solidariedade de classe, o sentimento internacionalista de lutas sociais, a construção do ser coletivo, sensibilidade ecológica, espírito de sacrifício e o compromisso com a busca da igualdade sem perder de vista a liberdade e o respeito às diferenças. Posturas que passariam a existir não só a partir de uma compreensão maior do projeto político que se pretende construir, mas também a partir da identidade, do despojamento e da disponibilidade para investir em algo a ser construido lentamente ao longo de gerações, e que so se faz próximo e presente mediante um investimento constante na mística do movimento.

Isto tudo parece se tornar mais difícil de se construir quando os grupos conquistam a posse da terra e passam a ser assentados. As dificuldades de viabilização da sobrevivência no campo e o anseio por ser minimamente recompensados pelos sacrifícios da espera parecem solapar as conquistas possíveis dos processos de formação política realizados nos acampamentos. Este fato coloca o MST frente à necessidade de produzir mecanismos de sensibilização e educação permanente para garantir, em seus assentamentos, o processo de apropriação dos valores priorizados pelo movimento. E, portanto, frente à necessidade de fazer com que estes valores permeiem todas as ações coletivas nestas áreas estando presente como linha política em todos os seus setores.

2.2 Desdobramentos das discussões sobre gênero

Sintonizado com as dificuldades as quais acabamos de nos referir, o Coletivo Nacional de Mulheres do MST se organiza para montar uma pauta de luta, bem como elaborar a forma de mantê-la presente nos encaminhamentos dos diferentes setores do movimento. Em maio de 1996 realizam o I Encontro Nacional das Mulheres Militantes do MST. Neste encontro[3], além de discutirem sobre a construção histórica da dominação de gênero nas relações sociais, discutiram sobre o cotidiano da mulher no processo de luta pela terra e sua inserção nas instâncias decisórias do movimento. Nestas discussões concluíram que os principais problemas enfrentados organicamente no MST eram referentes: 1) ao fato de que as mulheres, embora manifestassem uma participação ativa nas lutas, não tinham representatividade;

---

3. Conforme o relatório publicado em junho de 1996 sob título *A questão da mulher no MST.*

2) à existência de uma diferença, ou uma distância entre o discurso apresentado pelo movimento, como princípio político de organização, e a vivência cotidiana destes princípios no que se referia às relações de trabalho e companheirismo com as mulheres militantes; e 3) ao fato de o "trabalho com/sobre/das mulheres ser considerado secundário [pelo movimento]" (MST, 1996: 3).

As causas dos problemas apresentados foram localizadas no preconceito histórico contra as mulheres e naquilo que o coletivo considerou como "atraso das relações sociais no campo" (MST, 1996: 3), num argumento próximo àquele utilizado para explicar a origem dos "vícios e desvios ideológicos". Em relação à atitude do MST especificamente, as causas das discriminações de gênero reproduzidas internamente foram localizadas na falta de entendimento sobre o problema – numa linha argumentativa distinta, as discriminações produzidas internamente não são colocadas como fruto do "atraso das relações sociais". Esta "falta de entendimento" quanto às discriminações seria responsável por fazer com que muitos tivessem uma real dificuldade em identificá-las, reconhecê-las e, consequentemente, em enxergar a necessidade de criar mecanismos e formas de incentivo para superá-las. Do mesmo modo, procederam a crítica, localizando nas próprias mulheres, por um lado, os mesmos elementos anteriormente citados, e, por outro, um profundo medo de enfrentar a questão quando percebida.

Embora reconhecendo que realizaram importantes conquistas tanto em seus processos orgânicos[4], como em relação a outros organismos sociais (por exemplo, junto ao Incra, conse-

4. Exemplos destes avanços são um aprimoramento no discurso das lideranças femininas que iniciaram o debate e o próprio reconhecimento da existência do problema em vários setores do MST acompanhada pela preocupação de enfrentá-lo – expressadas pela inclusão da temática nos principais documentos de organização e formação de militantes, como o *Documento básico 1994/1995* e o *Programa de reforma agrária*.

guindo incluir o nome da mulher nos títulos de posse da Terra, talões de notas e outros documentos que as reconheçam como trabalhadoras), o coletivo reunido no encontro traçou uma pauta de desafios ainda presentes no horizonte das lutas das Trabalhadoras Rurais do MST, qualificando-os como *objetivos estratégicos e específicos de luta*, e delinearam um plano de trabalho para enfrentá-los. Assim designaram como *objetivos estratégicos* do Coletivo de Mulheres:

> 1) Construir novos valores no cotidiano (família, militância, direções, postura pessoal);
>
> 2) Tratar a questão de classe e gênero enquanto princípio;
>
> 3) Massificar e qualificar a participação das mulheres;
>
> 4) Dar organicidade à participação das mulheres.

E, como *objetivos específicos:*

> 1) Criar mecanismos para garantir a participação das mulheres em todos os níveis (creches e outros);
>
> 2) Criar novas relações em que os resultados políticos, econômicos e sociais sejam distribuídos de forma igualitária entre homens e mulheres (MST, 1996: 7).

Vemos que a questão da construção dos "novos valores" é um tema que se mantém aqui – o que dá margem aos mesmos comentários que fizemos acima. No mais, chama nossa atenção a ideia de se tratar as questões de "classe e gênero enquanto princípio", a qual por si só não explicita o que se entenda por "classe", por "gênero" e por "princípio", mas que em si já parece trazer uma marca de discussões próprias à metodologia feminista contemporânea. Fica implícita uma noção de que não se pretende tratar a questão de gênero apartada da discussão sobre classes sociais e de que gênero não é apenas um objeto de análise, mas um "princípio" para a análise das relações sociais no seu conjunto – o que implica uma discussão metodológica, posto que se trata do modo de compreensão das contradições próprias da nossa sociedade. No entanto, o caráter tipicamente sintético da elaboração de objetivos como estes não permite visualizarmos ainda as nuances de seu conteúdo. Uma questão que fica em aberto é a de como se dará o possível enfrentamento das contradições próprias a esta discussão, em função das diferentes e divergentes vertentes epistemológicas e políticas que sustentam discussões sobre "classe" e sobre "gênero" – se o enfrentamento dessas categorias permitirá o trato com aspectos complexos e contraditórios próprios da questão ou se uma tendência à justaposição harmônica prevalecerá também nesse campo, sem evidenciar maiores tensões.

Como veremos em seguida, foram publicados outros documentos do movimento com a finalidade de contribuir para o aprofundamento desta discussão, alguns produzidos pelo próprio Coletivo Nacional de Mulheres do MST e outros por assessores ou colaboradores do movimento. Mas mesmo neles ainda não encontramos uma discussão sobre questões epistemológicas de fundo. De modo que o MST parece ainda não ter se apropriado das ricas discussões desenvolvidas no campo complexo da metodologia feminista, principalmente no que diz respeito às influências do pós-estruturalismo e ao debate em torno delas. De um modo geral, o que tende a prevalecer é uma noção de que a questão de gênero é complementar e/ou subordinada à análise da sociedade em termos da luta de classes, compreendida de um modo marxista convencional. No documento *A questão das mulheres no MST*[5], assinado pelo Coletivo Nacional de Mulheres, coloca-se, citando Augusto Bebel, que "a igualdade da mulher só se pode obter quando a classe trabalhadora cum-

---

5. Publicado na coletânea *Compreender e construir novas relações de gênero* (MST, 1998), que, além do texto do Coletivo Nacional de Mulheres, traz contribuições de Lígia Mendonça, James Petras, Isabel Greem, Miriam da Silva e Nalu Faria Silva, da Rede Mulher, e um documento programático do Coletivo Nacional de Mulheres do MST.

prir sua missão histórica", qual seja, a de "libertar a humanidade, e, portanto, a mulher, de toda exploração e opressão", de modo que "a questão da mulher se converte assim em um componente da teoria e da prática da luta por libertação da classe trabalhadora" (1998: 48) – ainda que não se explicite o que muda nesta teoria e nesta prática a partir desta constatação. Nesse caso, a libertação da mulher é colocada como meta e consequência do fim da exploração de classe.

No entanto, no mesmo texto, o coletivo diz não ter "dúvida de que nada adiantará mudar as condições de vida se não mudarmos as relações da sociedade" (1998: 50) e assume uma crítica interna referindo-se às normas básicas do MST relativas à participação das mulheres, afirmando que "estas normas existem há muito, mas até hoje não passaram de normas, e não existia até agora uma preocupação maior no interior do MST para que de fato pudessem se tornar realidade" (1998: 50). De qualquer modo, ainda que faça esta crítica e assuma, ao menos tacitamente, que a mudança das condições econômicas é condição necessária, mas não suficiente para a transformação das relações de gênero, o documento é perpassado fortemente pela busca de provar que as mulheres devem participar para que os objetivos de classe do movimento sejam alcançados. Em alguns momentos, esta ideia é posta inclusive em termos quantitativos: "Não fossem elas 50% da população de nossos acampamentos e assentamentos, poderíamos até desprezar sua força política. Como são elas este número, podemos afirmar que o sucesso de nossa empreitada depende de 50% de sua decisão" (1998: 49).

Tal argumento acaba nos dando a impressão de que se está propondo antes fazer com que as mulheres passem a compor com a classe do que fazer com que a classe passe a ter como objetivo transformar também as próprias relações de gênero. De modo que a questão de gênero tende a ser priorizada como um sinônimo de "participação das mulheres" nos processos coletivos, subjugando as preocupações, esboçadas de maneira ainda incipiente, quanto à transformação da própria natureza sexista desses mesmos processos. Não se trata de que estas preocupações não existam ou não sejam colocadas, mas de que parecem surgir ainda de um modo um tanto tímido e pouco fundamentado. Em outro texto, não propriamente produzido no âmbito da discussão sobre gênero, chamado "Valores que deve cultivar um lutador do povo", Bogo reitera esta visão de subordinação causal das diferentes formas de discriminação e exclusão social à exploração de classes:

> Os problemas de discriminação, preconceitos, negação de direitos, são produtos da estrutura e do modelo de sociedade exploradora e excludente por natureza. Certamente estas contradições serão solucionadas na medida em que forem eliminadas as diferenças entre as classes sociais e reconstruirmos a sociedade brasileira em outras bases (*Valores que deve cultivar um lutador do povo*. BOGO, 1999).

Desconsidera-se, assim, a própria reflexão das feministas marxistas, que desde os seus primeiros debates chamaram a atenção para o fato de que "os sistemas econômicos não determinam de maneira direta as relações de gênero e que, de fato, a subordinação das mulheres é anterior ao capitalismo e continua sob o socialismo" (SCOTT, 1990: 6). E também não se leva em conta observações feitas em documento de autoria de Petras, publicado pelo próprio MST, onde o autor coloca vários exemplos de processos revolucionários em que uma vez "conquistada a vitória, a mulher se retira" (1998: 12), sendo a participação ativa da mulher nas lutas uma realidade constante, muito mais do que sua permanência nos postos dirigentes após o triunfo da classe – algo que, segundo o autor, ocorreu na Rússia, na China, na Nicarágua, no Vietnã e em El Salvador (MST, 1998). O interessante é que o determinismo econômico com relação ao sonhado fim das discriminações está justaposto, nas formulações de Bogo e dos documentos do movimento de um modo geral, à crença de que é possível cultivar desde já valores "novos", mesmo numa sociedade cujas contradições econômicas teoricamente não permitiriam que eles fossem priorizados.

Com relação aos procedimentos adotados para a realização daqueles objetivos estratégicos e específicos, pudemos constatar que comportam desde a promoção de discussões nos acampamentos e assentamentos, buscando chamar a atenção dos sem-terra (especialmente as mulheres) para a importância do tema; a criação de fóruns específicos de discussão locais, regionais e nacionais; até a preparação de materiais de apoio para publicação em cadernos de formação, na revista e no jornal *Sem-terra*. O que tem sido possível observar como mudanças concretas significativas são a inclusão de pelo menos um dia de discussão específica sobre o tema das desigualdades nas relações sociais de gênero nos encontros nacionais e estaduais, e a organização de oficinas e cursos de formação massivos voltados para a discussão do tema. Além disto, pode-se verificar um bom número de matérias publicadas, tanto na revista quanto no jornal *Sem-terra*, valorizando personalidades femininas e conquistas das mulheres do MST, e a publicação de materiais utilizados na formação de militantes, como, por exemplo, os cadernos de formação *A mulher nas diferentes sociedades, Compreender e construir novas relações de gênero, Nenhuma trabalhadora rural sem documentos, Mulher Sem-terra,* entre outros.

Outras ações apontadas como pertinentes à construção dos novos modos de relação seriam: a preparação (através de trabalhos de resgate da "autoestima" e da qualificação das mulheres para o desempenho de funções de liderança) e a projeção de quadros femininos para a participação nas instâncias de decisão do MST; o empenho para criação de condições de participação concreta das mulheres nas cooperativas e associações em nível de igualdade com os homens; e a participação em campanhas específicas promovidas por movimentos de mulheres trabalhadoras. Um dos mais importantes avanços conquistados aqui são os cursos de formação massivos para mulheres, nos quais elas aprendem desde dirigir automóveis até fazer análises de conjuntura, e elaborar/sistematizar saídas para problemas políticos apresentados nos acampamentos e assentamentos do movimento.

3 Perspectivas para a continuidade do debate

Acompanhando as publicações do MST, percebemos que os aspectos da organização política mais relacionados com a dinâmica subjetiva dos militantes e de todos os que compõem as fileiras do movimento aos poucos vão assumindo um lugar relevante na reflexão sobre os processos de construção da nova sociedade. Isto vai acontecendo à medida em que o movimento se dá conta da necessidade de incorporar bandeiras de luta pela transformação das relações humanas no cotidiano. Acreditamos que todos estes movimentos internos, as pressões pela redefinição de princípios e reorganização de atitudes do movimento, contribuem nesse sentido. Ainda que isto não deixe de se dar em meio a uma importante contradição entre as novas demandas para a agenda do movimento, e as antigas formas de conceber as questões relativas à singularidade e à emancipação, tanto mais quando isso coloca em jogo a necessidade de repensar relações de gênero. Entretanto, nossa interpretação é de que esta contradição é um componente necessário no processo e que não deve ser encoberta por tentativas apressadas de conciliação ou harmonização. Entendemos que se contribui mais para o avanço da discussão quando se explicita e se trabalha contradições inerentes à luta do ser humano por ser diferente enquanto continua sendo o que é, do que quando tenta-se forçar uma coerência doutrinária que não condiz com a própria dinâmica da vida real.

Por um lado é preciso levar em consideração o contexto no qual surgem as contradições próprias ao discurso do MST, as quais não deixam de ser próprias a todo o conjunto da sociedade contemporânea, e reconhecermos que a necessidade de coesão e unidade de princípios na luta social pode ser um empecilho concreto à construção de um discurso mais dinâmico e dialético. De modo que muitas vezes os argumentos que norteiam os processos formativos da militância e da base social do movimento acabam tendo que ser um tanto normativos, ainda que bastante ecléticos. Pois, talvez, em meio à dureza da luta haja pouco ou nenhum espaço para se ter dúvidas, ou para evidenciar publicamente as próprias falhas e limitações – já que o que se pretende é ganhar a simpatia do conjunto da sociedade, ou ao menos de seus setores mais progressistas, para a importância da luta e demonstrar força e coesão no enfrentamento dos inimigos de classe. Diante de uma sociedade onde predomina uma moral maniqueísta, uma visão dicotômica da realidade, e uma compreensão mecanicista e linear de causalidade, acaba sendo preciso colocar-se claramente do lado do "bem" e não fragilizar-se dizendo que contém-se ao mesmo tempo o "bem" e o "mal", afirmar que se está no caminho "correto" e não assumir que este caminho também contém "erros", dizer que as coisas têm uma causa única que sendo modificada mudará seus efeitos e não assumir que nem sempre há uma única causa para cada efeito nem tampouco sempre uma distinção definitiva entre o que é causa e o que é efeito, pois isso tudo se tornaria muito difícil de ser compreendido.

Por outro lado, questionar o conteúdo das doutrinas vigentes sem contrapor ao mesmo tempo as formas de pensar, sentir e agir pelas quais elas se impõem, seria correr o risco de substituir um autoritarismo por outro, um dogmatismo por outro e um moralismo por outro. De modo que a dureza da luta não pode ser justificativa para se repor justamente aquilo contra o que se está lutando. A tarefa torna-se então duplamente difícil. Já é difícil por conta da intransigência do "inimigo", mas é ainda mais difícil pelo fato de que este inimigo, queiramos ou não, também faz parte, de algum modo, da constituição daquele que luta contra ele. Como contou uma vez a jovem Eleonora, a frase preferida de seu pai, o velho Marx, era um dito de Terêncio: "Sou um homem, e nada de humano me é estranho" (FROMM, 1985). Somos feitos de contradições, contemos em nós o nosso oposto e muitas vezes reafirmamos o que pretendemos estar negando. Assumir isso é importante e faz diferença, mas não significa que pretendamos fazer "tabula rasa" da luta política ou que não tenhamos preferências ideológicas e entendamos que todas as formas de contradição estejam num mesmo patamar. No nosso ponto de vista, é justo no seu potencial de trazer à tona diversas contradições, antagonismos e incoerências constitutivos de nossa sociedade, que o MST segue sendo um agente fundamental na educação de seus componentes e de toda a sociedade brasileira, em sua busca de transformá-la radicalmente.

Referências

ARROYO, M. (2000). *A contribuição do pensamento de Paulo Freire para a construção do projeto popular para o Brasil.* Ibirité/MG, 29/02/2000 [comunicação oral (transcrição) realizada no curso de formação de formadores do projeto popular para o Brasil].

BARBOSA, E. (2000). *Práticas educativas no interior do Movimento dos Trabalhadores Rurais Sem Terra* – MST/SP. Campinas: FE/Unicamp [Relatório de Exame de Qualificação. Mestrado].

BOGO, A. (1999). *Lições da luta pela terra.* Salvador: Memorial das Letras.

CALDART, R. (2000). *Pedagogia do Movimento Sem Terra*: escola é mais do que escola. Petrópolis: Vozes.

CASTELO BRANCO, M.T. (1999). *Os jovens "sem-terra"*: identidades em movimento. São Carlos: Universidade Federal de São Carlos/Faculdade de Educação [Tese de doutoramento].

DELARI JR., A. (2000). *Consciência e linguagem em Vigotski*: aproximações ao debate sobre subjetividade. Campinas: Unicamp/ Faculdade de Educação [Dissertação de mestrado].

FERNANDES, B.M. (1996). *MST*: formação e territorialização. São Paulo: Hucitec.

FROMM, E. (1985). *Conceito marxista de homem*. Rio de Janeiro: Zahar.

GOHN, Maria da Glória (2000). *Mídia, terceiro setor e MST*: impactos sobre o futuro das cidades e do campo. Petrópolis: Vozes.

______ (1997). *Os Sem-terras, ONGs e cidadania*. São Paulo: Cortez.

______ (1997). *Teoria dos movimentos sociais*: paradigmas clássicos e contemporâneos. São Paulo: Loyola.

LEANDRO, J.B. (1995). "Uma luta em busca de novas alternativas de vida". In: D'AQUINO, T. (1995). *Retratos de assentamentos*. Araraquara: Unesp/Nupedor.

LIMA, V.C. (1991). "Mulheres assentadas: a conquista da autonomia na luta pela terra". In: *Cadernos de Reforma Agrária,* n. 1, v. 1. Marília: Unesp.

MELO, D.M. (2001). *A constituição da subjetividade de mulheres assentadas pelo MST*. Campinas: FE/Unicamp [Dissertação de mestrado].

MST (2000). *Mulher Sem-terra*. São Paulo: Secretaria Nacional do MST.

______ (1999). *MST*: 15 anos de lutas e conquistas. São Paulo: Secretaria Nacional do MST.

______ (1998). *Compreender e construir novas relações de gênero*. São Paulo: MST [Coletivo Nacional de Mulheres do MST].

______ (1996). *Princípios da educação no MST*. São Paulo: MST.

______ (1990). *A mulher nas diferentes sociedades*. São Paulo: MST.

______ (1989). *Normas gerais do MST*. São Paulo: MST.

______ (1986a). *Construindo o caminho*. São Paulo: MST.

______ (1986b). *Elementos sobre uma teoria da organização no campo*. São Paulo: MST.

______ (1986c). *A questão da mulher no MST*. São Paulo: MST [Coletivo Nacional de Mulheres do MST].

PINO, A. (2000). "O social e o cultural na obra de Vigotski". *Educação e Sociedade*. Revista quadrimensal de ciência da educação. Centro de Estudos Educação e Sociedade (Cedes), n. 71. Campinas: Cedes.

SANTOS, Boaventura S. (1996). *Pela mão de Alice*: o social e o político na pós-modernidade. São Paulo: Cortez.

SCOTT, J.W. (1990). "Gênero: uma categoria útil de análise histórica". *Revista Educação e Realidade*. Porto Alegre.

SOUZA, M.A. (1999). *As formas organizacionais de produção em assentamentos rurais do Movimento dos Trabalhadores Sem Terra* – MST. Campinas: FE/Unicamp [Tese de doutoramento].

STÉDILE, J.P. (1997). "Prefácio". In: CALDART, Rosely. *Educação em movimento*: formação de educadores e educadoras no MST. Petrópolis: Vozes.

VÁRIKAS, E. (1994) "Gênero, experiência e subjetividade: a propósito do desacordo Tilly-Scoot". *Cadernos Pagu* (3), p. 63-84. Campinas.

EDITORA VOZES LTDA.
Rua Frei Luís, 100 – Centro – Cep 25689-900 – Petrópolis, RJ
Tel.: (24) 2233-9000 – E-mail: vendas@vozes.com.br